About the Cover

Long before the Spaniards arrived in the New World in 1492, the Mayan Civilization had developed to a very advanced stage. The city of Chichen Itzá, located on the Yucatán peninsula of present day Mexico, is one of the many sites where we can still see evidence of the beauty and balanced proportions of Mayan Architecture. This is a view of the pyramid of "El Castillo", one of the most famous Mayan constructions.

GLENCOE SPANISH 1B

Bienvenidos

Conrad J. Schmitt

Protase E. Woodford

GLENCOE

McGraw-Hill

New York, New York   Columbus, Ohio   Mission Hills, California   Peoria, Illinois

Printed in the United States of America.

Send all inquiries to:
GLENCOE/McGraw-Hill
15319 Chatsworth Street
P.O. Box 9609
Mission Hills, CA 91346-9609

ISBN 0-02-646054-8 (Student Edition)
ISBN 0-02-646055-6 (Teacher's Wraparound Edition)

3 4 5 6 7 8 9   AGH   99 98 97 96 95

Acknowledgments

We wish to express our deep appreciation to the numerous individuals throughout the United States who have advised us in the development of these teaching materials. Special thanks are extended to the people whose names appear here.

Kristine Aarhus
Northshore School District
Bothell, Washington

Kathy Babula
Charlotte Country Day School
Charlotte, North Carolina

Veronica Dewey
Brother Rice High School
Birmingham, Michigan

Anneliese H. Foerster
Oak Hill Academy
Mouth of Wilson, Virginia

Sharon Gordon-Link
Antelope Valley Unified High School
Lancaster, California

Leslie Lumpkin
Prince George's County Public Schools
Prince George's County, Maryland

Loretta Mizeski
Columbia School
Berkeley Heights, New Jersey

Robert Robison
Columbus Public Schools
Columbus, Ohio

Rhona Zaid
Los Angeles, California

Photography

Front Cover: Dallas & John Heaton/Westlight
A.G.E. Fotostock/Westlight: 315B; AP/Wide World Photos: 285, 289B, 306, 341B, 379, 383, 465; Art Resource, NY: 455T (Prado Museum, Madrid, Spain); The Bettmann Archive: 289T, 468; Bilow, Nathan/Allsport USA: 345; Blank, James/Bruce Coleman: 315T; Budnik, Dan/Woodfin Camp: 461; California State Railroad Museum: 403B; Camp, Woodfin: 311; Carle, Eric/Bruce Coleman: 299TL; Cohen, Stuart/Comstock: xiiT, 312R, 316, 388, 405, 424M; Comstock: 281, 380; Corvetto, Mario/Comstock: 454L; Dekovic, Gene: 309, 422T; Delgado, Luis: xiiiT, 22, 258T, 380, 389, 450, 428–429, 448T, 455L; Downie, Dana/Photo 20-20: 354B, 355T; Erize, Francisco/Bruce Coleman: 356B; Faris, Randy/Westlight: 341TL, 342L; Fischer, Curt: xM, xB, xi, xiiM, xiiB, xiiiB, xiv–1, 258B, 268–269, 283, 292, 293, 298, 302, 320–321, 338, 352–353, 353, 354T, 358–359, 362, 363, 374T, 374B, 380–381, 384–385, 398, 401, 408–409, 413, 416, 422B, 424L, 426, 428B, 432–433, 436, 440, 441, 448B, 454–455, 454R, 458, 467, 470–471; Foster, Lee/Bruce Coleman: 303; Frazier, David R.: 312L, 318, 343T; Frerck, Robert/Odyssey Productions: ixB, 33, 246, 264T, 373; Frerck, Robert/Woodfin Camp: 264T, 453B; Giraudon/Art Resource, NY: 337 (National Museum, Madrid, Spain); Gonzales, J.L./courtesy, the Spanish Tourist Office: 260; Gunnar, Keith/Bruce Coleman: 247, 266; Heaton, Dallas & John/Westlight: 308, 316–317, 331, 340L, 355M, 406; In-Focus Int'l/Image Bank: 310B; Isy-Schwart, Cyril/Image Bank: 380T; King, Barry/Gamma Liaison: 341M; Koner, Marvin/Comstock: 380B; Langoné, Peter/International Stock: 263M; Lansner, Erica/Black Star: 10–11; Lozada, Claudia: 291T; Madison, David/Bruce Coleman: 250; Mahieu, Ted/Photo 20-20: 357T; McBrady, Stephen: 404–405; Menzel, Peter: 290–291, 343B, 352, 356M, 378, 428T, 429, 462, 466; Messerschmidt, Joachim/Westlight: 450R; Philip, Charles/Westlight: 264B; Rose, George/Gamma Liaison: 341TR; Ryan, David/Photo 20-20: 424R; Sallaz, William R./Duomo: 255; Sauer, Jennifer: ixT, ixM, xT, 12, 13T, 16B, 19T, 21, 24–25, 272, 276, 284, 291B, 299TR, 299BL, 299BR, 310T, 334, 339, 349, 351, 369, 376, 394, 420, 421, 431, 437, 445, 446, 447, 463; Scala/Art Resource, NY: 400T, 404 (House of El Greco, Toledo, Spain); Sheldon, Janice/Photo 20-20: 262B, 264–265; courtesy, the Spanish Tourist Office: 455B; Steele, Allen/Allsport USA: 294–295; Stephenson, Mark/Westlight: 400B; Symes, Budd/Allsport USA: 304; Syms, Kevin/Frazier Photolibrary: 253; Thomas Jefferson University, University Archives and Special Collections, Scott Memorial Library, Philadelphia, Pennsylvania: 289M; Tuber, Kelly: 13B; Vandystadt/Allsport USA: 242–243, 257; Vautier, Mireille/Woodfin Camp: 378; Viva, Osvaldo/Westlight: 263T; Ward, Bob/International Stock: 263B; Welsh, Kevin/Surfer Magazine: 314; Westlight: 265, 355B; Wheeler, Nik/Westlight: 342–343, 453T; Zuckerman, Jim/Westlight: 400M.

Special thanks to the following for their assistance in photography arrangements: The Prado Museum, Madrid, Spain; RENFE.

Illustration

Broad, David: 259, 285, 311, 335, 375, 399, 423, 449; Clarke, Bradley: 300–301; Dyan, Don: 410–411; Gregory, Lane: 248–249, 360–361, 366; Henderson, Meryl: 244–245; Keiffer, Christa: 414–415, 439–440; Kowalski, Mike: 332, 390–391; Magnuson, Diana: 296–297, 371; Mc Creary, Jane: 419; Miller, Lyle: 274–275; Miyamoto, Massami: 464; Muir, Mike: 469; Nicolson, Norman: 325–326, 364–365, 392; Raymond, Larry: 444; Sanfilippo, Margaret: 270–271; Siculan, Dan: 333, 386–387; Spellman, Susan: 279, 434–435, 442; Thewlis, Diana: 322–323, 330.

Realia

Realia courtesy of the following: ABC: 458; Banamex: 412; Baqueira/Beret: 251; Buenhogar: 4; Caminos del Aire: 282; Camper: 373; Corporación Ecuatoriana de Turismo: 17; Diario 16: 284; Distrimatas Telstar SL: 441; Domino's Pizza: 427; don balón: 305; Ediciones Pleyades, S.A.: 7; Editorial Eres: 381; Editorial Vicens-vives®: 254; El Comercio: 29; ℗ 1987 Electrosonora Manufacturas Saavedra, S.A.: 334; El Sol: 346; El Tallarín Gordo: 329; Emaus Films, S.A.: 339; Empresa Nacional de Ferrocarriles del Perú: 402; Ente Nacional Argentino de Turismo: 26; Fondo de Promoción Turística: 26; Fondo Mixto de Promoción Turística de Acapulco: 314; Gentilito: 280; Iberia: 22; La Fina: 413; Más: 33, 458; Mc Mahon, Jim/Maker, Mike: 267; Ministerio de Salud, Chile: 288; Museo Arqueológico Nacional de México: 327; Museo Diocesano: 327; Museo Frida Kahlo: 328; Navacerrada: 260; Nestlé: 273; Opticas Moneda Rotter: 257; Panam: 370; Pescador, Martín: 264; Posa Films: 324; Procter & Gamble: 443; RENFE: 388, 389, 393, 395, 405, 407; Restaurante Casa Fabas: 417; Restaurante El Arrabal: 425; Restaurante El Tablón: 417; Restaurante Los Remos: 418; Ricamato: 256; Roche: 283; Salud Total: 273; Saludable: 291; Secretaría General de Turismo-Turespaña: 31; Surf: 307, 313; Tabacín: 278; Teatro María Guerrero Ministerio de Cultura: 348; TeEn: 467; The Mansions in Lakes of the Moon: 15; Traveling Santiago: 347; Universidad Simón Bolívar: 8; Univisión: 368; Valle Nevado: 259; Vanidades: 372; Venca: 367; Vogue España: 277; Vogue México: 377; Zuma Sol: 457.

Fabric designs: Guatemalan—contemporary fabric: 286; Mexican—Los Colores Museum, Corrales, New Mexico: 338; Peruvian—private collection: 260; Spanish—Musée National des Tissus, Lyon, France: 312.

Maps

Eureka Cartography, Berkeley, CA.

T = top M = middle B = bottom L = left R = right

Bienvenidos

CONTENIDO

REPASO

CAPÍTULO 9

DEPORTES Y ACTIVIDADES DE INVIERNO

CAPÍTULO 10

LA SALUD Y EL MÉDICO

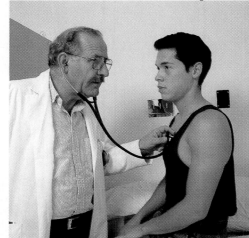

CAPÍTULO 11

ACTIVIDADES DE VERANO

CAPÍTULO 12

ACTIVIDADES CULTURALES

CAPÍTULO 13

LA ROPA Y LA MODA

CAPÍTULO 16

EL CAMPING

APÉNDICES

REPASO

A

LOS AMIGOS Y
LOS CURSOS

Los alumnos

Los alumnos van a la escuela en el bus escolar.
Ellos llegan a la escuela.
Un alumno habla con el profesor.
El profesor enseña.
Los alumnos estudian.
Están en la sala de clase.
Después de las clases, los alumnos van a un café.
Toman una merienda en el café.
Toman un refresco.

A **En la escuela.** Contesten.

1. ¿Cómo van los alumnos a la escuela? ¿Van a pie, en carro o en el bus escolar?
2. ¿A qué hora llegan a la escuela, a las ocho menos cinco de la mañana o a las ocho menos cinco de la tarde?
3. ¿Con quién hablan los alumnos en la escuela, con su profesor o con sus parientes?
4. ¿Quién enseña, el alumno o el profesor?
5. ¿Dónde están los alumnos ahora? ¿Están en la sala de clases en la escuela o están en casa?
6. ¿Adónde van los alumnos después de las clases? ¿Van a la escuela, a la tienda de discos o al café?
7. ¿Qué toman en el café? ¿Toman una merienda o un refresco?

B **¿Qué hacen?** Escojan.

1. ¿Cómo van los alumnos?
   a. a la escuela   b. a las ocho   c. a pie

2. ¿Quién enseña?
   a. el profesor   b. en la escuela   c. español

3. ¿Quiénes hablan?
   a. por teléfono   b. los alumnos   c. el profesor

4. ¿Cuándo llegan?
   a. en el bus   b. con sus amigos   c. a las ocho

5. ¿Qué estudian?
   a. en la escuela   b. mucho   c. álgebra

6. ¿Adónde van?
   a. en casa   b. al café   c. hoy

Los verbos en -*ar*

1. Review the forms of regular -*ar* verbs in Spanish.

INFINITIVE	HABLAR	TOMAR	CANTAR
ROOT	habl-	tom-	cant-
yo	hablo	tomo	canto
tú	hablas	tomas	cantas
él, ella, Ud.	habla	toma	canta
nosotros(as)	hablamos	tomamos	cantamos
vosotros(as)	*habláis*	*tomáis*	*cantáis*
ellos, ellas, Uds.	hablan	toman	cantan

2. Remember that the subject pronouns can be omitted in Spanish.

> **(Yo) Hablo español.**
> **(Tú) Hablas inglés.**
> **(Nosotros) Estudiamos mucho.**

3. To make a sentence negative, put *no* before the verb.

> **El profesor enseña. Los alumnos no enseñan.**
> **Los alumnos toman exámenes. Los profesores no toman exámenes.**

4. You use *tú* when speaking to a friend, a family member, or any person who is the same age as yourself.

> **Antonio (tú) hablas español, ¿no?**

5. You use *Ud.* when speaking to an older person, someone you do not know well or anyone to whom you wish to show respect.

> **¿Habla Ud. inglés señor López?**

C **En la escuela.** Contesten.

1. ¿A qué hora llegan los alumnos a la escuela?
2. ¿Cuántas asignaturas toman?
3. ¿Sacan notas buenas o malas?
4. ¿Estudian mucho o poco?
5. Y tú, ¿a qué hora llegas a la escuela?
6. ¿En qué llevas tus libros?
7. ¿Qué asignaturas estudias?
8. ¿Qué notas sacas?

D ¿Qué lenguas hablas? Completen.

—Oye, Paco. Tú ___ (hablar) español, ¿no?
___1___

—Sí, (yo) ___ (hablar) español. Y tú también ___ (hablar) español, ¿no?
___2___   ___3___

—Sí, pero no muy bien. Yo ___ (estudiar) español en la escuela. En la clase de
                          ___4___

  español nosotros ___ (hablar) y ___ (escuchar) cintas.
                    ___5___   ___6___

E En la fiesta. Completen.

1. Durante la fiesta nosotros ___. (bailar)
2. José ___ el piano. (tocar)
3. Mientras él ___ el piano, Sandra y Manolo ___. (tocar, cantar)
4. ¿ ___ Uds. refrescos para la fiesta? (preparar)
5. ¿ ___ tú fotos instantáneas durante la fiesta? (tomar)
6. Sí, y todos nosotros ___ las fotografías. (mirar)

F Un muchacho en un colegio de Santiago. Completen.

Ricardo es un muchacho chileno. Él ___ (estudiar) en un colegio de Santiago,
                                     ___1___
la capital de Chile. Emilio es un muchacho listo. Él ___ (trabajar) mucho en la
                                                       ___2___
escuela. Él ___ (estudiar) inglés. En la clase de inglés los alumnos ___ (hablar)
           ___3___   ___4___
mucho. A veces ellos ___ (cantar) también.
                     ___5___

  Yo ___ (estudiar) español en una escuela secundaria en los Estados Unidos.
     ___6___
Yo también ___ (trabajar) mucho y ___ (sacar) muy buenas notas en la clase
           ___7___   ___8___
de español. En la clase nosotros ___ (hablar)
                                  ___9___
mucho con el profesor. A veces, nosotros ___
                                         ___10___
(cantar) y ___ (tocar) la guitarra.
          ___11___

  Después de las clases, los amigos ___ (tomar)
                                    ___12___
una merienda. A veces nosotros ___ (mirar) la
                               ___13___
televisión. Cuando no ___ (mirar) la televisión,
                      ___14___
nosotros ___ (escuchar) discos o ___ (hablar)
        ___15___   ___16___
por teléfono.

Los verbos *ir*, *dar* y *estar*

1. Review the forms of the irregular verbs *ir, dar,* and *estar*. Note that they are irregular in the *yo* form. All other forms conform to the pattern of a regular -*ar* verb.

INFINITIVE	IR	DAR	ESTAR
yo	voy	doy	estoy
tú	vas	das	estás
él, ella, Ud.	va	da	está
nosotros(as)	vamos	damos	estamos
vosotros(as)	*vais*	*dais*	*estáis*
ellos, ellas, Uds.	van	dan	están

2. Remember that *estar* is used to express location and how you feel.

    ¿Cómo estás? Estoy bien, gracias.
    ¿Dónde está Roberto? Está en casa.

3. The preposition *a* often follows the verb *ir*. Remember that *a* contracts with *el* to form one word *al*.

    Voy al café. No voy a la tienda.

F **Entrevista.** Contesten.

1. ¿A qué escuela vas?
2. ¿Estás en la escuela ahora?
3. ¿En qué clase estás?
4. ¿Vas a la escuela con tus amigos?
5. ¿Cómo van Uds. a la escuela?
6. ¿Estás con tus amigos ahora?
7. ¿Están ellos en la clase de español también?
8. ¿Da el/la profesor(a) de español muchos exámenes?
9. ¿Adónde van tú y tus amigos después de las clases?

- **A**dministración de **E**mpresas
- **B**iología
- **C**ontaduría **P**ública
- **D**iseño **G**ráfico
- **E**ducación **P**rimaria
- **I**ngeniería en **A**limentos
- **Q**uímico **F**armacéutico **B**iólogo
- **S**istemas **C**omputacionales e **I**nformática

Contamos con:
- **C**entro de **I**diomas

EXAMENES DE ADMISION

TERCER PERIODO   19 de JUNIO
CUARTO PERIODO   15 y 16 de JULIO

Universidad
us
Simón **B**olívar

Av. Río Mixcoac No. 48   Col. Insurgentes Mixcoac
Tels: 598 17 77   598 14 03   598 11 08   Fax: 563 17 05
DISEÑO: D.G. Miguel A. Aguilera, Susana Rivera, Patricia Valero

Comunicación

A **Las actividades.** With a classmate prepare a list of activities you do. Separate the activities you have listed into two categories:

EN LA ESCUELA   DESPUÉS DE LAS CLASES

Then write a paragraph telling what you do in school and what you do after school.

B **¿Adónde vas?** With a classmate make up a short conversation using each of the following verbs. Use the model as a guide.

> Estudiante 1: ¿Adónde vas?
> Estudiante 2: ¿Quién, yo? Yo voy a la biblioteca.
> Estudiante 1: ¿Sí? Tomás va a la biblioteca también.

1. ir
2. hablar
3. tocar
4. mirar
5. estar

C **¿Cómo soy…?** Describe yourself to your partner in terms of what you are not. Reverse roles.

> No soy alta; no soy rubia…

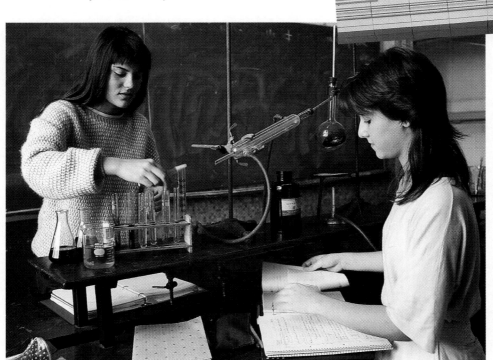

Un colegio en la Argentina

REPASO

B

LAS
ACTIVIDADES

Los amigos

¡Hola!
¡Hola! ¿Qué tal, Jesús?
Bien, ¿y tú?
Muy bien, gracias.
¡Chao! ¡Hasta luego!
¡Adiós! ¡Hasta luego!

A **Hola.** Say "hi" to a friend in class.

B **¿Cómo te va?** Ask a friend in class how things are going.

C **Adiós.** Say "so long" to a friend in class.

Dos mexicanos

Es Rafael Salas.
Él es de México.
Rafael es mexicano.

Es Carmen Grávalos.
Carmen es mexicana también.
Carmen y Rafael son de
    Guadalajara.
Viven en Guadalajara.
Ellos son alumnos en el colegio Hidalgo, en
    Guadalajara.

En el colegio Rafael y Carmen…
    leen libros y periódicos.
    escriben con lápiz y con bolígrafo.
    comen en la cafetería.
    ven un partido de fútbol.

D **Rafael y Carmen.** Contesten.

1. ¿De dónde es Rafael?
2. ¿De qué nacionalidad es?
3. Y Carmen, ¿de qué nacionalidad es ella?
4. ¿De dónde son Rafael y Carmen?
5. ¿Dónde viven ellos?
6. ¿Dónde son alumnos?

E **¿Qué hacen?** Pareen.

1. leer   **a.** mucho en la escuela
2. escribir   **b.** al quinto piso
3. vivir   **c.** una novela
4. aprender   **d.** un alumno bueno y serio
5. vender   **e.** una carta con bolígrafo
6. comer   **f.** una limonada
7. ver   **g.** en una casa particular
8. ser   **h.** una emisión deportiva
9. subir   **i.** discos en una tienda en el centro comercial
10. beber   **j.** carne, ensalada y papas

F **La familia.** Completen.

1. La familia ___ en la cocina o en el comedor.
2. La familia ___ la televisión en la sala.
3. Después de la comida mamá ___ una carta a una amiga.
4. Papá ___ el periódico.
5. La familia ___ en una casa privada. La familia no ___ en un apartamento.

G **Sustantivos y verbos.** Pareen.

1. escribir   **a.** la venta
2. comer   **b.** el aprendizaje
3. vender   **c.** la escritura
4. beber   **d.** la lectura
5. aprender   **e.** la vivienda
6. vivir   **f.** la comida
7. leer   **g.** la bebida

Los verbos en *-er, -ir*

1. Review the forms of regular second conjugation, *-er* verbs, and third conjugation, *-ir* verbs.

INFINITIVE	COMER	VIVIR
STEM	com-	viv-
yo	como	vivo
tú	comes	vives
él, ella, Ud.	come	vive
nosotros(as)	comemos	vivimos
vosotros(as)	*coméis*	*vivís*
ellos, ellas, Uds.	comen	viven

2. Note that all forms of *-er* and *-ir* verbs are the same except *nosotros* and *vosotros*.

Nosotros comemos.	Nosotros subimos.
Bebemos.	Escribimos.

SE SIENTE...	CON GANAS DE COMER...	¡LO QUE DEBE COMER!
Triste	Alimentos reconfortantes	Sopa, avena, macarrones con queso
Enojada	Alimentos duros crujientes	Palomitas de maíz, apio, manzana
Segura	Comidas picantes	Jugo de tomate con especias, *crudités* con salsas
Avergonzada	Alimentos cremosos	Bananas, yogur descremado
Excitada	Algo dulce	Galletitas "María", caramelos, mazapanes
Tensa	Alimentos salados	Sopa de vegetales, galletitas saltinas
Nerviosa	Alimentos ricos en carbohidratos	Pastas, papas y pan integral
Cansada	Alimentos ricos en proteína	Queso, carne magra y maní

H **Personalmente.** Completen.

1. Yo ___ en ___. (vivir)
2. Yo no ___ en ___. ___ en ___. (vivir)
3. Yo ___ en la calle ___. (vivir)
4. En casa, yo ___ con mi familia. (comer)
5. Nosotros ___ en la cocina. (comer)
6. Después de la comida yo ___ el periódico. (leer)
7. A veces yo ___ una composición para la clase de inglés. (escribir)

I **Pregunta.** Make up a question for each sentence in Exercise H.

J **Vivimos en los Estados Unidos.** Contesten.

1. ¿Dónde viven Uds.?
2. ¿Viven Uds. en una casa particular?
3. ¿Viven Uds. en un apartamento?
4. ¿Escriben Uds. mucho en la clase de español?
5. Y en la clase de inglés, ¿escriben Uds. mucho?
6. ¿Comprenden Uds. cuando la profesora habla en español?
7. ¿Reciben Uds. buenas notas en español?
8. ¿Aprenden Uds. mucho en la escuela?
9. ¿Leen Uds. muchos libros?
10. ¿Comen Uds. en la cafetería de la escuela?

El verbo *ser*

Review the forms of the irregular verb *ser*.

SER	
yo	soy
tú	eres
él, ella, Ud.	es
nosotros(as)	somos
vosotros(as)	*sois*
ellos, ellas, Uds.	son

K **La nacionalidad.** Practiquen.

—Roberto, tú eres americano, ¿no?

—Sí, hombre. Soy americano.

—Y tu amiga, ¿es ella americana también?

—¿Quién, Alejandra?

—Sí, ella.

—No, ella es de España.

—Pero Uds. son alumnos en la misma escuela, ¿no?

—Sí, somos alumnos en la escuela Monroe.

L Roberto y Alejandra. Contesten según la conversación.

1. ¿Quién es americano?
2. ¿Quién es de España?
3. ¿Son ellos alumnos en la misma escuela?
4. ¿En qué escuela son ellos alumnos?

M Personalmente. Contesten.

1. ¿Quién eres?
2. ¿De dónde eres?
3. ¿De qué nacionalidad eres?
4. ¿Cómo eres?
5. ¿Qué eres?
6. ¿Dónde eres alumno(a)?

N Dos ecuatorianos. Completen con *ser*.

Marisa Contreras ___ de Guayaquil. Y
$\overline{}_{1}$

Felipe Gutiérrez ___ de Guayaquil. Los
$\overline{}_{2}$

dos ___ ecuatorianos y los dos no ___
$\overline{}_{3}$ $\overline{}_{4}$

de la capital.

¿De dónde ___ Uds.? ¿ ___ Uds. de
$\overline{}_{5}$ $\overline{}_{6}$

la capital de su país?

Nosotros ___ de ___ .
$\overline{}_{7}$

Ecuador

Catedral de Guayaquil

Guayaquil

Los artículos y los sustantivos

1. Many Spanish nouns end in *-o* or *-a*. Most nouns that end in *-o* are masculine and most nouns that end in *-a* are feminine. The definite article *el* accompanies a masculine noun and the definite article *la* accompanies a feminine noun.

MASCULINO	FEMENINO
el muchacho	**la muchacha**
el colegio	**la escuela**

2. Many Spanish nouns end in *-e*. It is impossible to tell the gender, masculine or feminine, of nouns ending in *-e*.

MASCULINO	FEMENINO
el arte	**la calle**
el café	**la clase**
el deporte	**la tarde**
el padre	**la madre**

4. To form the plural of nouns ending in the vowels *o*, *a*, or *e*, you add an *-s*. To nouns ending in a consonant, you add *-es*. Note that *el* changes to *los* and *la* changes to *las*.

MASCULINO	FEMENINO
los muchachos	**las muchachas**
los deportes	**las calles**
los profesores	**las ciudades**

5. In Spanish, you use the indefinite articles *un* or *una* to express "a" or "an." Note that these articles change to *unos* and *unas* in the plural.

SINGULAR	PLURAL
un muchacho	**unos muchachos**
una muchacha	**unas muchachas**

O **El muchacho y la muchacha.** Completen con *el, la, los* o *las*.

___ muchacho es cubano y ___ muchacha es puertorriqueña. Sus padres son
₁ ₂
de Ponce en el sur de ___ isla. Ahora ___ dos muchachos viven en ___ ciudad
₃ ₄ ₅
de Miami. Ellos viven en ___ misma calle y van a ___ misma escuela.
₆ ₇

P **El plural.** Cambien cada oración a la forma plural.

1. El muchacho es moreno.
2. La muchacha es rubia.
3. El alumno es serio.
4. La escuela es buena.
5. La ciudad es grande.

El departamento de bomberos, Ponce, Puerto Rico

La concordancia de los adjetivos

1. Adjectives agree with the nouns they describe. If the noun is feminine, the adjective must be in the feminine form. If the noun is plural, the adjective must be in the plural form. Review the following.

	FEMENINO	MASCULINO
SINGULAR	la amiga rubia una muchacha seria	el amigo rubio un muchacho serio
PLURAL	las amigas rubias unas muchachas serias	los amigos rubios unos amigos serios

2. Adjectives that end in -e have two forms. To form the plural you add an -s.

   el edificio grande
   los edificios grandes

3. Adjectives that end in a consonant also have two forms. You add -es to form the plural.

   el curso fácil   **los cursos fáciles**
   la lección fácil   **las lecciones fáciles**

Q **Las dos muchachas.** Describan a las muchachas.

R **El amigo.** Describan a un(a) amigo(a).

El presente progresivo   *Describing an Action in Progress*

1. The present progressive is used in Spanish to express an action that is presently going on. It is formed by using the present tense of the verb *estar* and the present participle. To form the present participle of most verbs you drop the ending of the infinitive and add *-ando* to the stem of *-ar* verbs and *-iendo* to the stem of *-er* and *-ir* verbs. Study the following forms of the present participle.

INFINITIVE	HABLAR	LLEGAR	COMER	HACER	SALIR
STEM PARTICIPLE	habl- hablando	lleg- llegando	com- comiendo	hac- haciendo	sal- saliendo

2. Note that the verbs *leer* and *traer* have a *y* in the present participle.

   leyendo   trayendo

3. Study the following examples of the present progressive.

   ¿Qué está haciendo Elena?
   En este momento está esperando el avión.

S **¿Qué están haciendo en el aeropuerto?** Contesten según se indica. (*Answer according to the cues.*)

1. ¿Adónde están llegando los pasajeros? (al aeropuerto)
2. ¿Cómo están llegando? (en taxi)
3. ¿Adónde están viajando? (a Europa)
4. ¿Cómo están haciendo el viaje? (en avión)
5. ¿Dónde están facturando el equipaje? (en el mostrador de la línea aérea)
6. ¿Qué está revisando la agente? (los boletos y los pasaportes)
7. ¿De qué puerta están saliendo los pasajeros para Madrid? (número siete)
8. ¿Qué están abordando? (el avión)

T **Yo (no) estoy…** Formen oraciones. (*Make up a sentence telling whether you are or are not doing each of the following.*)

1. comer
2. hablar
3. estudiar
4. bailar
5. escribir
6. aprender
7. trabajar
8. hacer un viaje
9. leer
10. salir para España

U **¿Qué están haciendo ahora?** Digan lo que están haciendo. (*Tell what the following members of your family or friends are doing now.*)

1. Mi madre
2. Mi padre
3. Mis primos
4. Mis hermanos
5. Yo
6. Mis amigos
7. Mi novio(a) y yo

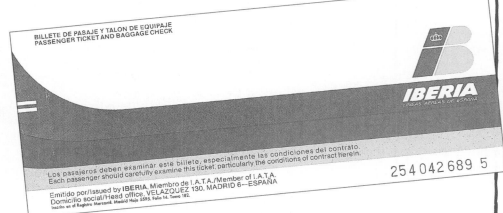

Comunicación

A **En la cafetería.** You have just met a new student in the school cafeteria. Tell him or her what your nationality is, what languages you speak, what classes you are taking, how many brothers and sisters you have and what their ages are. Reverse roles.

B **Las categorías.** With a classmate make up a list of words you know that describe a person. Then divide the words into the following categories.

> **descripción física**
> **personalidad**
> **características positivas**
> **características negativas**

Continue to work together. Then decide upon a person that fits into all categories and give a complete description of the person.

C **Soy...** Write a postcard to a pen pal in Puerto Rico. Tell him or her what you look like; where you are from; and where you go to school. Describe your school and after-school activities.

El observatorio de Arecibo, Puerto Rico

Un edificio de apartamentos en el viejo San Juan, Puerto Rico

La catedral de Ponce, Puerto Rico

C

LOS VIAJES Y LOS DEPORTES

Un viaje a Lima

—Hola, Jorge. ¿Qué haces, hombre?
—Pues, voy a hacer un viaje a Lima.
—¿A Lima? ¿Cuándo sales?
—Salgo mañana.
—¿Por qué tienes que ir a Lima?
—No tengo que ir. Es que quiero ir.
—¿Qué vas a hacer en Lima?
—Pues, la Argentina juega contra el Perú.
—¡Verdad!

A **Un viaje a Lima.** Contesten según la conversación.

1. ¿Adónde va Jorge?
2. ¿Cuándo sale?
3. ¿Tiene que ir a Lima?
4. ¿Quiere ir?
5. ¿Qué va a hacer en Lima?

B **En el aeropuerto.** Contesten según el dibujo.

1. Los pasajeros hacen un viaje a ____.
2. Los pasajeros están en ____.
3. Ellos llevan (tienen) ____.
4. El agente revisa sus ____ y sus ____.
5. Es el ____ número 110.
6. El vuelo sale para ____.
7. ____ a las 9:20.
8. Los ____ van a abordar el avión.

C **Los deportes.** ¿Que deporte es?

1. hay cinco jugadores en el equipo
2. hay once jugadores en el equipo
3. el portero guarda la portería
4. los jugadores encestan el balón
5. los jugadores juegan en el campo de fútbol

El presente de los verbos de cambio radical

1. Review the forms of *e > ie* stem-changing verbs. Note that the stem changes in all forms except the *nosotros* and *vosotros*.

INFINITIVE	EMPEZAR	QUERER	PREFERIR
yo	empiezo	quiero	prefiero
tú	empiezas	quieres	prefieres
él, ella, Ud.	empieza	quiere	prefiere
nosotros(as)	empezamos	queremos	preferimos
vosotros(as)	empezáis	queréis	preferís
ellos, ellas, Uds.	empiezan	quieren	prefieren

2. Review the forms of *o > ue* stem-changing verbs. Note that the stem changes in all forms except the *nosotros* and *vosotros*.

INFINITIVE	VOLVER	PODER	DORMIR
yo	vuelvo	puedo	duermo
tú	vuelves	puedes	duermes
él, ella, Ud.	vuelve	puede	duerme
nosotros(as)	volvemos	podemos	dormimos
vosotros(as)	volvéis	podéis	dormís
ellos, ellas, Uds.	vuelven	pueden	duermen

3. Remember that the stem of the verb *jugar* also changes to *ue*.

JUGAR	
yo	juego
tú	juegas
él, ella, Ud.	juega
nosotros(as)	jugamos
vosotros(as)	jugáis
ellos, ellas, Uds.	juegan

D Un juego de fútbol. Lean.

El juego de fútbol empieza a las dos de la tarde. Hoy juegan los Osos contra los Tigres. Cuando empieza el segundo tiempo, el tanto queda empatado en cero. Los jugadores vuelven al campo. Todos quieren ganar, pero si el tanto no queda empatado, un equipo tiene que perder. ¿Quiénes pierden? Durante el último minuto del partido los Osos meten un gol. El portero de los Tigres no puede parar el balón y los Osos ganan.

Deporte TOTAL

El Comercio

Lima, lunes 20 de enero de

Así celebraron los jugadores peruanos el cuarto gol. Nuestra selección deambula, a pesar de sus buenos jugadores.

Sub'23 no convence

Ganó a México 4 a 3
Otra vez bronca y expulsiones

(Pags. 2,3 y 4) Salto de garrocha frente a la Catedral. (pag 5)

Jaime Yzaga y Julio Granda juntos (pags 8 y 9)
Chemo, el líbero que vino del Sur (pags 10 y 11)
Los 50 años de Cassius Clay (pag 12)
Cómo se prepara Ecuador para la Copa Davis (pag 16)

E **Los Osos contra los Tigres.** Contesten según la lectura.

1. ¿A qué hora empieza el juego de fútbol?
2. ¿Quiénes juegan?
3. ¿Cómo queda el tanto cuando empieza el segundo tiempo?
4. ¿Quiénes vuelven al campo?
5. ¿Qué quieren todos?
6. ¿Tiene que perder un equipo?
7. ¿Quiénes pierden?
8. ¿Qué no puede parar el portero de los Tigres?
9. ¿Duermen los espectadores durante el partido?

F **Lo que quiero hacer.** Tell five things you want to do.

G **Lo que Pablo prefiere hacer.** Tell five things Pablo does not want to do. Tell what he prefers to do.

H **Lo que podemos hacer.** Tell five things you and your friends can do.

I **El partido de hoy.** Completen.

1. Hoy nosotros ___ a jugar a las dos. (empezar)
2. Nosotros no ___ perder. (querer)
3. Si nosotros ___ el juego de hoy, no ___ jugar mañana. (perder, poder)

J **El partido de hoy.** Cambien *nosotros* a *yo* en las oraciones del Ejercicio I.

Los verbos con g en la primera persona

1. Review the forms of the irregular verbs *hacer, poner, traer,* and *salir.* Note that they all have a g in the *yo* form.

INFINITIVE	HACER	PONER	TRAER	SALIR
yo	hago	pongo	traigo	salgo
tú	haces	pones	traes	sales
él, ella, Ud.	hace	pone	trae	sale
nosotros(as)	hacemos	ponemos	traemos	salimos
vosotros(as)	*hacéis*	*ponéis*	*traéis*	*salís*
ellos, ellas, Uds.	hacen	ponen	traen	salen

2. The verbs *tener* and *venir* also have a g in the *yo* form. In addition, the *e* of the infinitive stem changes to *ie* in all forms except the *nosotros* and *vosotros*.

INFINITIVE	TENER	VENIR
yo	tengo	vengo
tú	tienes	vienes
él, ella, Ud.	tiene	viene
nosotros(as)	tenemos	venimos
vosotros(as)	tenéis	venís
ellos, ellas, Uds.	tienen	vienen

3. The expression *tener que* followed by an infinitive means "to have to."

> **Tenemos que estudiar.**
> **Tenemos que tomar un examen final.**

K **Un viaje imaginario.** Contesten con *sí*.

1. ¿Haces un viaje a España?
2. ¿Haces el viaje en avión?
3. Antes, ¿haces la maleta?
4. ¿Qué pones en la maleta?
5. ¿Cuándo sales?
6. ¿Sales para el aeropuerto en taxi?
7. ¿A qué hora viene el taxi?
8. ¿A qué hora tienes que estar en el aeropuerto?
9. ¿Tienes mucho equipaje?
10. ¿A qué hora sale el vuelo para Madrid?

SECRETARIA GENERAL DE TURISMO
TURESPAÑA

L **La maleta.** Completen con *hacer*, *poner* o *salir*.

1. Juan ___ su maleta. Él ___ una camisa en la maleta. Él ___ para Málaga.
2. Nosotros ___ nuestra maleta. Nosotros ___ blue jeans en la maleta porque ___ para Cancún, en México.
3. ¿Tú ___ tu maleta? ¿Qué ___ en la maleta? ¿Por qué ___ la maleta? ¿Para dónde ___?
4. Mis padres ___ su maleta. Ellos ___ muchas cosas en la maleta. Ellos ___ su maleta porque ___ para Miami.
5. Yo ___ mi maleta. Yo ___ blue jeans y T shirts en mi maleta. Yo ___ mi maleta porque ___ para la Sierra de Guadarrama donde voy de camping.

M **Mi familia y mi casa.** Preguntas personales.

1. ¿Tienes una familia grande o pequeña?
2. ¿Cuántos hermanos y cuántas hermanas tienes?
3. ¿Tienen Uds. una casa particular o un apartamento?
4. ¿Cuántos cuartos tiene la casa o el apartamento?
5. ¿Tienen Uds. un carro?
6. ¿Tienen Uds. una mascota? ¿Tienen un perro o un gato?

Comunicación

A **¿Adónde vamos?** With a partner decide on a place each of you wants to go to. Tell how you're going to get there and what you're going to do there. Then ask each other questions about your trip. Write a paragraph about your partner's trip. Then compare what each of you have written.

B **Los deportes.** With your partner decide what sport you want to talk about. Make a list of words that describe this sport. Then put the words into sentences and write a paragraph about the sport. Read your paragraph to the class.

Partidos de clasificación - marzo

FECHA	EQUIPO DE CASA	EQUIPO VISITANTE	SEDE	GRUPO
		Turquía		Europa 2
miércoles 10	San Marino			Europa 4
		Checoslovaquia	Limasol	1
miércoles 24	Chipre	Malta	Palermo	2
	Italia	San Marino		
	Países Bajos			
		Francia	Viena	Europa 6
sábado 27	Austria			Europa 4
		Bélgica		3
miércoles 31	Gales	España		3
	Dinamarca	Irlanda del Norte	Dublín	5
	Irlanda	Grecia		1
	Hungría	Portugal	Berna	2
	Suiza	Inglaterra		
	Turquía			

C **Mi familia y mi casa.** You and your partner will take turns saying something about your family and your house or apartment. Write down what the other person says. Then compare your families and your house or apartment.

D **Quiero…** Work with a classmate. Each of you will make a list of things you want to do but can't do because you have to do something else. Then compare your lists and see how many things you have in common.

9

DEPORTES Y ACTIVIDADES DE INVIERNO

OBJETIVOS

In this chapter you will learn to do the following:

1. describe winter weather
2. talk about skiing and skating
3. talk about what you know and whom you know
4. tell what you know how to do
5. tell where people and places are located
6. describe some ski resort areas of Spain and South America

243

VOCABULARIO

PALABRAS 1

EN LA ESTACIÓN DE ESQUÍ

la nevada

el gorro

las gafas

los guantes de esquí

el anorak

el bastón

el esquí

el frío
el invierno

la temperatura

la bota

¿Qué tiempo hace en el invierno?
Hace frío.
Nieva.
Hay nevadas.
La temperatura baja a cinco grados (centígrados) bajo cero.

el telesilla

la ventanilla

el telesquí

la esquiadora   el esquiador

la boletería

la estación de esquí

la pista

el slálom

la cuesta

la nieve

el esquí alpino
el esquí de descenso

el esquí nórdico   el esquí de fondo

Los esquiadores suben la montaña.
Suben en el telesquí.

Anita sabe esquiar bien.
No es principiante. Es experta.
Ella baja la pista.
Baja rápido.

¿Yo? Yo sé esquiar muy bien.

¿Roberto pierde algo?
¿Qué pierde?
Pierde un bastón.
Roberto dice que esquía bien.

Pero conocemos a Roberto.
No sabe esquiar muy bien.
Es un poco fanfarrón.

Ejercicios

A El tiempo en el invierno. Contesten.

1. ¿Cuáles son los meses de invierno?
2. Donde viven Uds., ¿hace mucho frío en el invierno?
3. ¿Hasta cuántos grados baja la temperatura?
4. ¿Nieva mucho?
5. ¿Está nevando hoy?
6. Las nevadas, ¿son frecuentes o no?

B ¿Esquías o no? Preguntas personales.

1. ¿Hay montañas cerca de donde tú vives?
2. ¿Nieva en el invierno?
3. ¿Hay estaciones de esquí en las montañas?
4. ¿Hay pistas para principiantes y expertos?
5. ¿Tus amigos saben esquiar?

C Una excursión de esquí. Contesten.

1. ¿Qué tienen que llevar los esquiadores?
2. ¿Dónde compran los boletos para el telesquí o el telesilla?
3. ¿Cómo suben la montaña?
4. ¿Quién sabe esquiar bien, Anita o Roberto?
5. ¿Cómo baja ella la pista?
6. ¿Quién no sabe esquiar bien, Anita o Roberto?
7. Pero, ¿qué dice él?
8. ¿Cómo es él?
9. ¿Qué pierde Roberto,
   un esquí o un bastón?

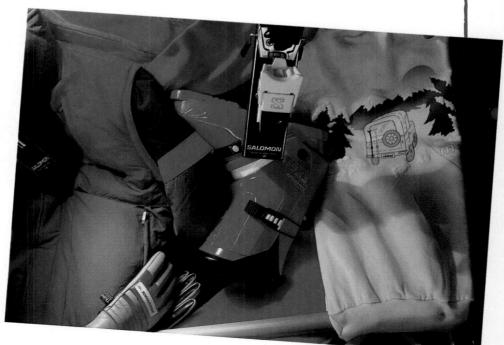

D **A esquiar.** Empareen.

1. esquiar   a. el descenso
2. nevar   b. la subida
3. descender   c. el esquí
4. bajar   d. la pérdida
5. subir   e. la nieve, la nevada
6. perder   f. la bajada

RELACIÓN DE PROVINCIAS, POR ORDEN ALFABÉTICO, EN DONDE EXISTEN ESTACIONES DE NIEVE Y MONTAÑA	
PROVINCIA	NOMBRE DE LA ESTACIÓN
Barcelona	Rasos de Peguera
Burgos	Valle del Sol La Lunada
Gerona	La Molina-Supermolina Masella Nuria Vallter, 2.000
Granada	Solynieve
Huesca	Astun Candanchú Cerler El Formigal Panticosa
León	Puerto de San Isidro
Lérida	Baqueira-Beret Llessui Port del Comte Super Espot Tuca Betren Llés Sant Joan de L'erm.
Logroño	Valdezcaray
Madrid-Segovia Madrid	Puerto de Navacerrada Valcotos Valdesquí
Orense	Manzaneda Peña Trevinca
Oviedo	Valgrande-Pajares
Santander	Alto Campoo Picos de Europa
Segovia	La Pinilla
Teruel	Sierra de Gudar
Tenerife	Las Cañadas del Teide

PALABRAS 2

EL PATINAJE

el hielo

la pista de patinaje
el patinadero

el patinaje sobre hielo

el patín
los patines

el patinador

el patinaje artístico

el patinaje sobre ruedas

la cuchilla, la hoja

las ruedas

el monopatín

Y aquella pista es una pista para el patinaje sobre ruedas. Es una pista cubierta.

Esta pista es para el patinaje sobre hielo. Es una pista al aire libre.

Estos patines tienen cuchilla (hoja).

Y aquellos patines tienen ruedas.

Ejercicios

A **El patinaje.** Contesten según la foto.

1. Los jóvenes, ¿están patinando en un patinadero cubierto o en un patinadero al aire libre?
2. ¿Están patinando sobre hielo o sobre ruedas?
3. ¿Tienen cuchillas o ruedas sus patines?
4. ¿Están haciendo el patinaje artístico?

B **El esquí y el patinaje.** Completen.

1. Para esquiar es necesario tener dos ___ y dos ___.
2. Los esquiadores llevan ___, ___, ___ y ___.
3. El esquí ___ o de ___ es el esquí que practican los esquiadores que bajan las pistas.
4. El descenso con obstáculos es el ___.
5. En el esquí ___ o de ___, los esquiadores no bajan una pista. Pero tienen que ___ y ___ cuestas.
6. Es posible patinar sobre ___ o ___.
7. Hay patinaderos ___ y ___.
8. Los patinadores que bailan y hacen ballet sobre el hielo practican el ___.

C **La palabra o expresión en español.** ¿Cómo se dice en español?

1. downhill skiing
2. cross country skiing
3. chairlift
4. roller skating
5. indoor rink
6. outdoor rink
7. figure skating
8. skateboard

Comunicación

Palabras 1 y 2

A **En el invierno.** You are travelling in Latin America. A student (your partner) asks you what the winter weather is like where you live and what you do in winter. Tell him or her.

B **Tengo que comprar…** You want to outfit yourself for a ski trip. List everything you need. At the ski shop find out from the salesclerk (your partner) how much each item costs. Let the clerk know what you think of the price. Reverse roles.

> **las botas**
> Estudiante 1: ¿Cuánto cuestan las botas?
> Estudiante 2: Cuestan trescientos dólares.
> Estudiante 1: Cuestan mucho.

C **Vacaciones de invierno.** You want to go to a ski resort in a Spanish-speaking country. Talk with a travel expert (your partner) about possibilities in the places listed below. Find out about the number of lifts, kinds of slopes, prices, and weather.

1. Portillo, Chile
2. Bariloche, Argentina
3. Solynieve, Spain

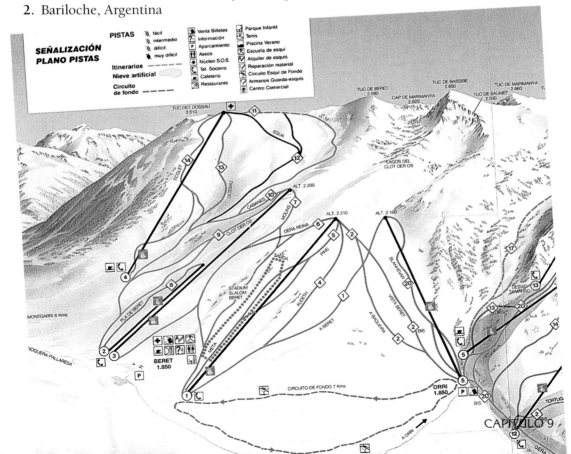

ESTRUCTURA

El presente de los verbos *saber* y *conocer*

Expressing Who and What You Know

1. Study the following forms of the verbs *saber* and *conocer*, which both mean "to know." As with many irregular verbs you have already learned, *saber* and *conocer* are irregular in the *yo* form only.

INFINITIVE	SABER	CONOCER
yo	sé	conozco
tú	sabes	conoces
él, ella, Ud.	sabe	conoce
nosotros(as)	sabemos	conocemos
vosotros(as)	*sabéis*	*conocéis*
ellos, ellas, Uds.	saben	conocen

2. The verb *saber* means "to know a fact" or "to have information about something."

> **Yo sé el número de teléfono.**
> **Yo sé donde está Madrid.**

3. The verb *saber* when followed by an infinitive means "to know how to do something."

> **Yo sé esquiar.**
> **¿Sabes patinar?**

4. When you want to say, "I know," "he knows," etc., the verb *saber* is never used alone. You say:

> **Lo sé. Lo sabe.**

In the negative, however, you have a choice.

> **No sé.** or **No lo sé.**

5. The verb *conocer* means "to know" in the sense of "to be acquainted with."

> **Yo conozco a Roberto.**
> **Conozco el arte mexicano.**

6. You need to use the personal *a* with *conocer* when the direct object is a person.

> **Conocemos a los hermanos Rodríguez.**
> **Raúl y Alfredo conocen a Sarita.**

Ejercicios

A **¿Sabes esquiar?** Practiquen la conversación.

—Oye, Teresa, ¿tú sabes esquiar?
—Sí, sé esquiar. Pero no soy experta.
—¿Conoces a Tadeo?
—Sí, conozco a Tadeo, si tú hablas de Tadeo Castaño.
—Sí, hablo de él. No sabes que va a esquiar en las Olimpíadas.
—¡Esquiar en las Olimpíadas! ¡Qué honor para él! ¡Es fantástico!

¿Qué sabe Teresa? Contesten según la conversación.

1. ¿Sabe esquiar Teresa?
2. ¿Sabe esquiar muy bien o bastante bien?
3. ¿Ella conoce a Tadeo?
4. ¿Sabe esquiar?
5. ¿Dónde va a esquiar?

B **¿Qué sabes?** Contesten.

1. ¿Conoces a ___?
2. ¿Sabes su número de teléfono? ¿Cuál es?
3. ¿Sabes su dirección? ¿Cuál es?
4. ¿Sabes su zona postal? ¿Cuál es?
5. ¿Sabes la hora? ¿Qué hora es?
6. ¿Sabes la fecha? ¿Cuál es la fecha de hoy?

C **Lo que yo sé hacer.** Digan todo lo que saben hacer.

D **Algunas cosas que conozco.** Contesten con *sí* o *no*.

1. ¿Conoces el arte mexicano?
2. ¿Conoces la literatura española?
3. ¿Conoces la literatura americana?
4. ¿Conoces la historia antigua?
5. ¿Conoces la historia moderna?

E **Natalia Isaacs.** Completen con *saber* o *conocer*.

PEPITA: Sandra, ¿___ tú a Natalia Isaacs?

SANDRA: Claro que ___ a Natalia. Ella y yo somos muy buenas amigas.

PEPITA: ¿___ tú que ella va a Panamá?

SANDRA: ¿Ella va a Panamá? No, yo no ___ nada de su viaje. ¿Cuándo va a salir?

PEPITA: Pues, ella no ___ exactamente qué día va a salir. Pero ___ que va a salir este mes. Ella va a hacer su reservación mañana. Yo ___ que ella quiere tomar un vuelo sin escala.

SANDRA: ¿Natalia ___ Panamá?

PEPITA: Creo que sí ___ Panamá. Pero yo no ___ definitivamente. Pero yo ___ que ella ___ a mucha gente en Panamá.

SANDRA: ¿Cómo es que ella ___ a mucha gente en Panamá?

PEPITA: Pues, tú ___ que ella tiene parientes en Panamá, ¿no?

SANDRA: Ay, sí, es verdad. Yo ___ que tiene familia en Panamá porque yo ___ a su tía Lola. Y ___ que ella es de Panamá.

La ciudad de Panamá

El presente del verbo *decir*   *Telling What People Say*

The verb *decir*, "to tell," is irregular in the present tense. It has a *g* in the *yo* form and the stem changes from *e* to *i* in all forms except *nosotros* and *vosotros*.

DECIR	
yo	digo
tú	dices
él, ella, Ud.	dice
nosotros(as)	decimos
vosotros(as)	*decís*
ellos, ellas, Uds.	dicen

A   **¿Qué dices de la clase?**   Sigan el modelo.

> **¿Qué dices de la clase de español?**
> *Pues yo digo que es fantástica. Estoy aprendiendo mucho.*

1. ¿Qué dices de la clase de matemáticas?
2. ¿Qué dices de la clase de inglés?
3. ¿Qué dices de la clase de ciencias?
4. ¿Qué dices de la clase de educación física?
5. ¿Qué dices de la clase de historia?

B   **¿Pablo dice que esquía?**
Contesten según se indica.

1. ¿Qué dice Pablo, esquía bien o no esquía bien? (bien)
2. ¿Dice que es experto? (sí)
3. ¿Y qué dicen Uds.? (no es experto)
4. ¿Por qué dicen eso? (conocemos a Pablo)
5. ¿Están diciendo que es un poco fanfarrón? (sí)
6. ¿Sabe esquiar Pablo? (sí, no muy bien)

C **Una discusión.** Completen con *decir*.

1. Yo ___ que no y él ___ que sí.
2. ¿Qué ___ Uds.?
3. ¿Uds. ___ que sí?
4. Pues, Uds. y yo ___ que sí y él ___ que no.
5. Pero, hombre, ¿de qué estamos hablando? Estamos hablando de nuestras vacaciones de invierno. Yo ___ que vamos a esquiar y Uds. también ___ que vamos a esquiar.
6. ¿Qué ___ él?
7. Él ___ que vamos a ir a una isla tropical.

Los adjetivos demostrativos   *Pointing Out People or Things*

1. You use the demonstrative adjectives "this," "that," "these," and "those," to point out people or things. The demonstrative adjectives must agree with the noun they modify. Study the demonstrative adjectives in Spanish.

	SINGULAR	PLURAL
MASCULINO	este muchacho ese muchacho aquel muchacho	estos muchachos esos muchachos aquellos muchachos
FEMENINO	esta muchacha esa muchacha aquella muchacha	estas muchachas esas muchachas aquellas muchachas

2. All forms of *este* indicate something near the person speaking. They mean "this," "these" in English.

   Esta revista que tengo yo es muy interesante.

3. All forms of *ese* indicate something close to the person spoken to.

   Roberto, esa revista que tienes es muy interesante.

4. All forms of *aquel* indicate something far away from both the speaker and listener. The forms of both *ese* and *aquel* mean "that," "those" in English.

   Aquel libro que está allá en la mesa es interesante.

5. The adverbs *aquí*, *allí*, and *allá* indicate relative position: here, there, over there.

Ejercicios

A **¿Cuánto es o cuánto cuesta?** Sigan el modelo.

> las gafas
> Estudiante 1: ¿Cuánto cuestan las gafas?
> Estudiante 2: ¿De qué gafas habla Ud.? ¿De estas gafas qué están aquí?
> Estudiante 1: No de aquellas gafas que están allá en el mostrador.

1. gafas
2. guantes de esquí
3. esquís
4. patines
5. botas

6. monopatín
7. anorak
8. calculadora
9. bolígrafo
10. mochila

B **El libro que tú tienes.** Completen con *ese/ esa* o *aquel/aquellas*.

1. ___ libro que tú estás leyendo es muy interesante. Pero ___ libro que ellos están leyendo allá es muy aburrido, muy pesado.
2. ___ disco que (tú) estás escuchando es fabuloso. Pero ___ disco que ellos están escuchando es horrible.
3. ___ novela que (tú) estás leyendo es una maravilla. Y ___ novela que ellos están leyendo es terrible.
4. ___ botas que estás comprando son fantásticas. Pero ___ botas que ellos están comprando no son muy buenas.
5. ___ esquís que estás mirando son para el esquí alpino y ___ esquís que ellos están mirando son para el esquí nórdico.

Esquiando en Valle Nevado, Chile

Escenas de la vida   *¿Vas a esquiar en las Olimpíadas?*

AGUSTÍN: Carmen, ¿sabes esquiar?
CARMEN: Sí, sé esquiar. Pero no soy experta. Quisiera esquiar más pero no puedo.
AGUSTÍN: No puedes, ¿por qué?

CARMEN: Pues, no vivimos muy cerca de una estación de esquí.
AGUSTÍN: ¿No hay lugares donde hacen nieve artificial?

CARMEN: No, porque no tenemos montañas, sólo cuestas.
AGUSTÍN: Entonces debes aprender a hacer el esquí de fondo. El esquí es un deporte fantástico.

No es experta. Contesten.

1. ¿Esquía mucho Carmen?
2. ¿Sabe esquiar un poco?
3. ¿Por qué no puede esquiar más?
4. ¿Vive cerca de las montañas?
5. ¿Hay cuestas donde vive?
6. ¿Qué debe aprender Carmen?

Pronunciación   *La consonante g*

The consonant **g** has two sounds, hard and soft. You will study the soft sound in Chapter 10. **G** in combination with **a, o, u** (*ga, go, gu*) is pronounced somewhat like the **g** in the English word "go." To maintain this hard **g** sound with **e** or **i**, a **u** is placed after the **g**: *gue, gui*.

ga	gue	gui	go	gu
gafa	guerra	guitarra	algo	segundo
gana	guerrilla	Guillermo	pago	guante
paga	Guevara	guía	domingo	seguridad

las gafas

Repeat the following sentences.

La amiga llega y luego toca la guitarra.
Salgo el domingo para Uruguay.
Pongo las gafas y los guantes en la maleta.

Comunicación

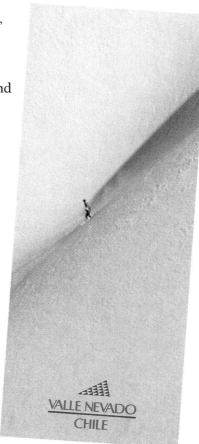

A   **¿Quién es?** Point out a half dozen members of the class, some near your partner, near you, or away from both of you. Ask your partner who the person is.

B   **¿Sabes…?** The following is a list of winter activities. Find out if your partner knows how to do them and if so, how well he or she does them. If your partner doesn't do them ask if he or she wants to learn how.

> hacer el esquí nórdico
> Estudiante 1: ¿Sabes hacer el esquí nórdico?
> Estudiante 2: Sí. Lo sé hacer. (No. No lo sé hacer.)
> Estudiante 1: ¿Qué tal lo haces? (¿Quieres aprender?)
> Estudiante 2: Regular. (No. Es aburrido.)

1. hacer el esquí nórdico
2. hacer el esquí alpino
3. esquiar el slálom
4. subir la cuesta en telesilla
5. patinar sobre hielo
6. patinar sobre ruedas
7. andar en monopatín

C   **¿Qué juegas?** In groups of four, create questions for an opinion poll on winter sports. Interview other groups. Summarize the results of the poll and report to the class.

VALLE NEVADO
CHILE

ESQUIANDO EN UN PAÍS HISPANO

—No esquían en los países hispanos, ¿verdad?

—¿No esquían? ¿Por qué dices eso?

—Porque en los países hispanos siempre hace calor, ¿no? Como no hay invierno, no hace frío.

—¿No hay invierno? ¿Quieres decir que todos los países hispanos son tropicales?

—Pues, si no son tropicales por lo menos siempre hace calor.

—En algunos, sí. Pero no en todos, de ninguna manera. Parece que no conoces bien el mundo hispano. Por ejemplo, el esquí es un deporte muy popular en España.

—¿En España? No puede ser.

—Claro que puede ser. Hay estaciones de esquí a unos kilómetros al norte de Madrid en la Sierra de Guadarrama. Los madrileños pasan el fin de semana esquiando en Navacerrada.

—¿Y allí hacen el esquí alpino?

—Sí, sí, el esquí alpino. Y, ¿no conoces las estupendas estaciones de esquí en Argentina y Chile?

—¡El invierno en la América del Sur! Tengo que estudiar la geografía.

La Sierra Nevada cerca de Granada, España

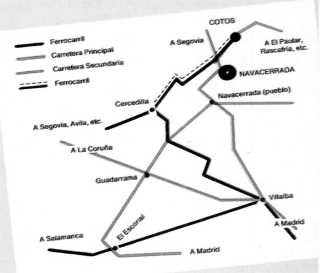

Estudio de palabras

A ¿Qué es? Busquen una palabra relacionada.

1. las montañas
2. los Alpes
3. el calor
4. los trópicos
5. el invierno
6. la geografía
7. Madrid

a. invernal
b. geográfico
c. montañoso
d. madrileño
e. alpino
f. tropical
g. caluroso

ESCUELA DE SKI PRECIOS EN US$

PRODUCTO	Nº DE LECCIONES/DURACIÓN	PRECIO
Clases colectivas 10 personas máximo	1 lección de 2 horas 5 lecciones de 2 horas c/u 6 lecciones de 2 horas c/u	US$ 16 US$ 64 US$ 72
Clases particulares 1 ó 2 personas	1 lección de 1 hora 5 lecciones de 1 hora c/u	US$ 38 US$ 155
Clases particulares 3 ó 4 personas	1 lección de 1 hora 5 lecciones de 1 hora c/u	US$ 57 por grupo US$ 233 por grupo
Programa y talleres especiales (*) 6 personas máximo	1/2 día Día	US$ 150 por grupo US $300 por grupo
Alas delta		US$ 76
Parapente		US$ 57
Heliskiing/Helisurf 5 personas máximo	Min. 15 minutos	desde US$ 61 por persona
Safari en nieve 10 personas máximo	1/2 día	desde US$ 45 por persona

B La geografía. Completen.

1. Ellos viven en las montañas. Son de una región ___.
2. Y sus primos viven en los trópicos. Viven en una zona ___.
3. La geografía varía. Hay diferencias ___ en las distintas partes del continente.
4. En los trópicos siempre hace calor. Una zona ___ es una región ___.
5. En las zonas polares es casi siempre invierno. La estación ___ dura mucho tiempo.

Comprensión

A ¿Es verdad? Contesten con *sí* o *no*.

1. Hay estaciones de esquí en todos los países hispanos.
2. Hay estaciones de esquí en algunos países hispanos.
3. Todos los países hispanos son países calurosos.
4. Hay estaciones de esquí cerca de Madrid, la capital de España.

B Datos. Busquen.

1. el nombre de la capital de España
2. las montañas al norte de Madrid
3. el nombre de una estación de esquí cerca de Madrid
4. tres países hispanos donde es popular el esquí

C Inferencia.

This reading selection implies that there is a common misconception among people in the United States about the Spanish-speaking countries. What is that misconception?

DESCUBRIMIENTO CULTURAL

Ya sabemos que no es verdad que siempre hace calor en todos los países hispanos. En Madrid por ejemplo hay un refrán[1] que dice "Nueve meses de invierno y tres meses de infierno". ¿Qué quiere decir este refrán madrileño? Quiere decir que durante nueve meses hace frío en Madrid y durante tres meses es un infierno porque hace muchísimo calor. En Madrid, la temperatura puede subir a los treinta y ocho o cuarenta grados centígrados en el verano. Y en el invierno puede bajar a menos de cero grados centígrados.

Hay estaciones de esquí un poco al norte de Madrid en la Sierra de Guadarrama y también en el norte del país en los Pirineos que forman la frontera con Francia. ¿Saben Uds. que también hay estaciones de esquí en el sur de España? En el invierno mucha gente esquía en la Sierra Nevada mientras la gente del norte de Europa nada en el Mediterráneo a unos 160 kilómetros de las pistas. ¿En qué estado de los Estados Unidos puede la gente esquiar en las montañas, y a unos pocos kilómetros nadar en el mar?

¡El distrito de los lagos! ¿Qué es y dónde está? Pues, es una región fantástica y famosa por su belleza natural. Es una región que tiene muchos lagos y está en los Andes en la frontera entre Chile y la Argentina. En el invierno mucha gente va a esta región a esquiar. Hay estaciones de

La Puerta de Alcalá, Madrid, España

Lago Pehoe, Chile

Bariloche, Argentina

Entre Puerto Montt y Punta Arenas en la costa del Pacífico hay ríos, fiordos y glaciares. Muchos turistas dicen que creen que están en Noruega, en Escandinavia.

Y otra cosa interesante—en Punta Arenas hay mucha gente de ascendencia serbocroata. Si Uds. son de ascendencia alemana o serbocroata, ¿por qué no hacen un viaje al sur de Chile?

[1] refrán   *proverb*   [3] pescar   *to fish*
[2] cazar   *to hunt*   [4] madera   *wood*

esquí fabulosas. Pero, ¿cuándo es el invierno en la Argentina y en Chile? El invierno es en los meses de junio, julio y agosto. Cuando es el verano en el hemisferio norte donde están los Estados Unidos, es el invierno en el hemisferio sur.

San Carlos de Bariloche es un pueblo famoso en esta región. Está en la Argentina. En el invierno las pistas de esquí son fabulosas y en las otras estaciones los turistas van a Bariloche para cazar[2], pescar[3] y nadar en los lagos.

Muy cerca de los distritos de los lagos en Chile está Puerto Montt. De Puerto Montt hay vistas preciosas de los picos andinos cubiertos de nieve. Hay también volcanes cubiertos de nieve. Puerto Montt es una pequeña ciudad interesante. Las casas de Puerto Montt son casi todas de madera[4]. Muchos de los habitantes de Puerto Montt son de origen alemán. En el escaparate de una pastelería de esta ciudad en el sur de Chile puede Ud. ver:

Gebürtstagskuchen und Hochzeitskuchen
Tortas para cumpleaños y bodas

Puerto Montt, Chile

REALIDADES

Estos fiordos están en Chile **1**. ¿Qué tal la vista? Espectacular, ¿no?

Este anorak está en una vitrina en Galerías Preciados, una tienda por departamentos en Madrid. **2**

Es un glaciar en la Argentina **3**. ¿Cómo es el clima aquí?

Si vas a Chile y no tienes el equipo necesario para esquiar, puedes ir a Martín Pescador para alquilar lo que necesitas **4**.

Aquí ves un telesilla en la estación de esquí de Río Negro en la Argentina **5**. La nieve es fabulosa, ¿verdad?

Comunicación oral

A **¿Sabes esquiar?** You are on the slopes in Bariloche and meet a young Argentine skier (your partner). Find out as much as you can about your new friend's skiing habits and experience: where he or she goes to ski; how often; how well he or she skis; what equipment he or she has, etc.

B **Charada.** Get together with a number of classmates. On each of a number of slips of paper write down, in Spanish, an action typical of a particular sport. Randomly distribute the slips. Each player will act out what is on the slip. Everyone tries to guess the sport.

Comunicación escrita

A **Una composición.** Work with a classmate to create a composition. Follow these five steps:

1. list the words you know that deal with skiing
2. put the words into sentences
3. arrange the sentences in a logical sequence
4. polish the sentences and organize them in a paragraph
5. read your paragraph to the class

B **La estación de esquí.** You and your group have been contracted to create a magazine ad for Esquimundo, a new ski resort in the Andes. Describe the attractions of the resort in as much detail as possible. After each group has written and polished its ad, it will present it to the class.

Reintegración

A **En el aeropuerto.** Contesten según se indica.

1. ¿Dónde están ellos? (el aeropuerto)
2. ¿Adónde van? (Santiago)
3. ¿Dónde está Santiago? (Chile)
4. ¿Por qué van a Chile? (a esquiar)
5. ¿Con qué línea o compañía aérea van a viajar? (Lan Chile)
6. ¿Cuánto cuesta el boleto? (mucho)
7. ¿Es un vuelo largo? (sí)
8. ¿Tú haces el viaje también? (no)
9. ¿A qué hora sale su vuelo y a qué hora llega? (a las once de la noche y a las ocho de la mañana)
10. ¿Dónde van a esquiar? (Portillo)

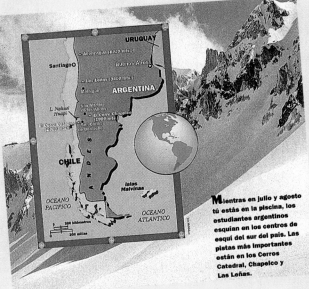

Mientras en julio y agosto tú estás en la piscina, los estudiantes argentinos esquían en los centros de esquí del sur del país. Las pistas más importantes están en los Cerros Catedral, Chapelco y Las Leñas.

B **Los deportes.** Sigan el modelo.

Ellos juegan.
Ellos están jugando.

1. Él dribla con el balón.
2. Ella tira la pelota.
3. Yo esquío.
4. Tú haces la plancha de vela.
5. Ellos suben la pista para los expertos.
6. Nosotros hacemos el patinaje artístico.

Vocabulario

SUSTANTIVOS

el invierno
el frío
la nieve
la nevada
la temperatura
el grado

la estación de esquí
el esquí
el esquí de descenso
el esquí de fondo
el esquí alpino
el esquí nórdico
el slálom
el/la esquiador(a)
la montaña
la cuesta
la pista

el telesquí
el telesilla
la ventanilla
la boletería
el esquí
el bastón
la bota
las gafas
el gorro
el guante
el anorak
el patinaje
el hielo
el/la patinador(a)
el patinadero
el patín
la cuchilla
la hoja

la rueda
el patinaje sobre hielo
el patinaje artístico
el patinaje sobre ruedas
el monopatín

ADJETIVOS

principiante
experto(a)
fanfarrón(a)
cubierto(a)

VERBOS

saber
conocer
decir
nevar (ie)
esquiar
patinar

bajar
subir

OTRAS PALABRAS Y
EXPRESIONES

¿Qué tiempo hace?
Hace frío.
Nieva.
bajo cero
al aire libre
rápido

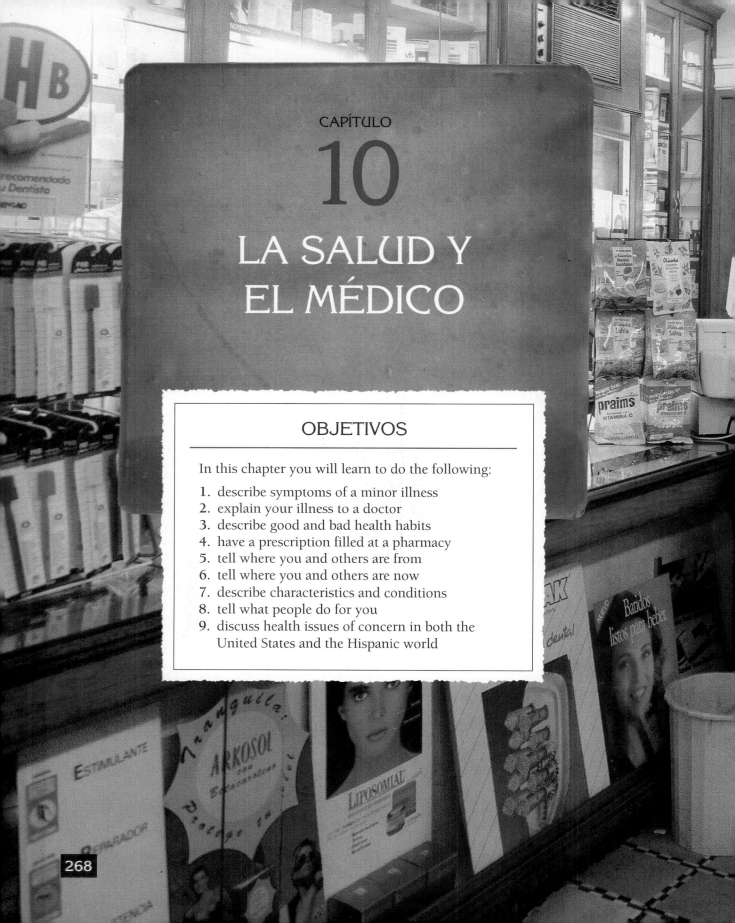

CAPÍTULO

10

LA SALUD Y EL MÉDICO

OBJETIVOS

In this chapter you will learn to do the following:

1. describe symptoms of a minor illness
2. explain your illness to a doctor
3. describe good and bad health habits
4. have a prescription filled at a pharmacy
5. tell where you and others are from
6. tell where you and others are now
7. describe characteristics and conditions
8. tell what people do for you
9. discuss health issues of concern in both the United States and the Hispanic world

VOCABULARIO

PALABRAS 1

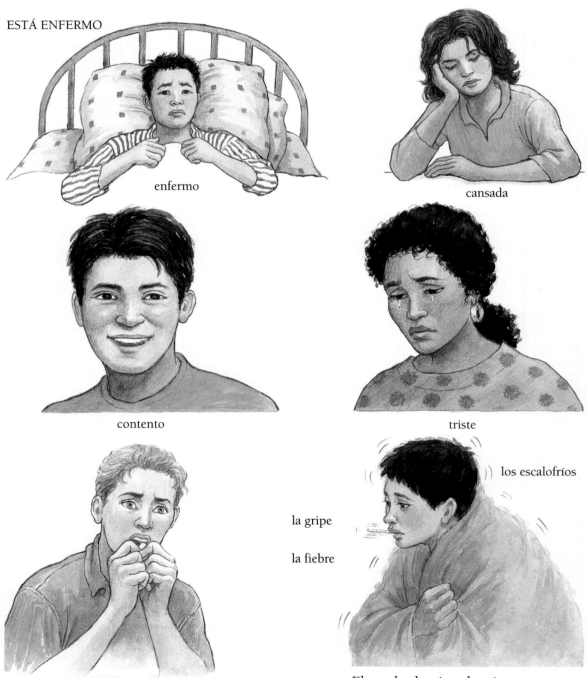

ESTÁ ENFERMO

enfermo

cansada

contento

triste

nervioso

los escalofríos

la gripe

la fiebre

El muchacho tiene la gripe.
Tiene fiebre.

estornudar

el catarro

La muchacha tiene catarro.

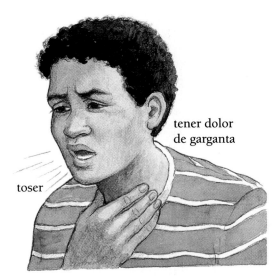

tener dolor de garganta

toser

El muchacho tiene tos.

tener dolor de cabeza

tener dolor de estómago

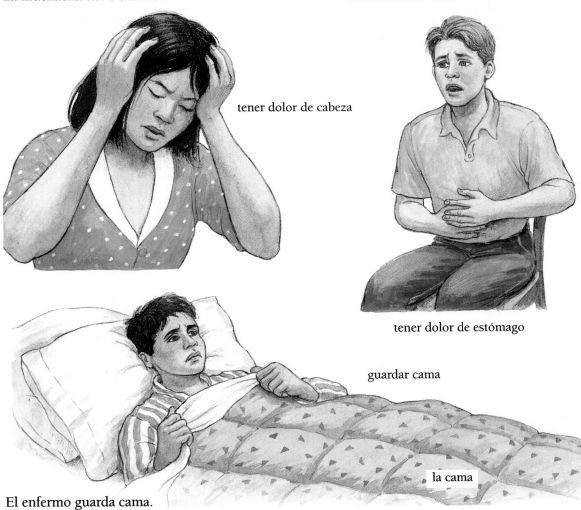

guardar cama

la cama

El enfermo guarda cama.

Ejercicios

A El pobre Roberto está enfermo. Contesten.

1. ¿Está enfermo Roberto?
2. ¿Tiene la gripe?
3. ¿Tiene tos?
4. ¿Está estornudando?
5. ¿Tiene fiebre?
6. ¿Tiene escalofríos?
7. ¿Tiene dolor de cabeza?
8. ¿Está siempre cansado?

B ¿Cómo está? Contesten según las fotos.

1. ¿Cómo está la señorita? ¿Está triste o contenta?

2. Y el muchacho, ¿cómo está? ¿Está triste o contento?

3. El señor, ¿está bien o está enfermo?

4. Y la joven, ¿está tranquila o está nerviosa?

C **Y tú, ¿cómo estás?** Preguntas personales.

1. ¿Cómo estás?
2. Cuando estás enfermo, ¿estás de mal humor o de buen humor?
3. Cuando tienes dolor de cabeza, ¿estás contento(a) o triste?
4. Cuando tienes catarro, ¿estás siempre cansado(a) o no?
5. Cuando estás enfermo(a), ¿quieres guardar cama o prefieres ir a una fiesta?
6. Cuando estás enfermo(a), ¿quieres dormir o trabajar?
7. Cuando tienes un examen, ¿estás nervioso(a) o tranquilo(a)?

PALABRAS 2

LA CLÍNICA Y LA FARMACIA

el médico

la consulta del médico

el consultorio del médico

La médica me examina la garganta.

la médica

Tomás está en la consulta de la médica.
La médica examina a Tomás.
Tomás abre la boca.

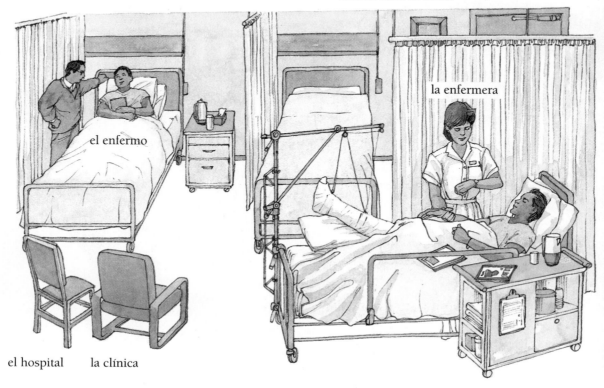

el enfermo

la enfermera

el hospital   la clínica

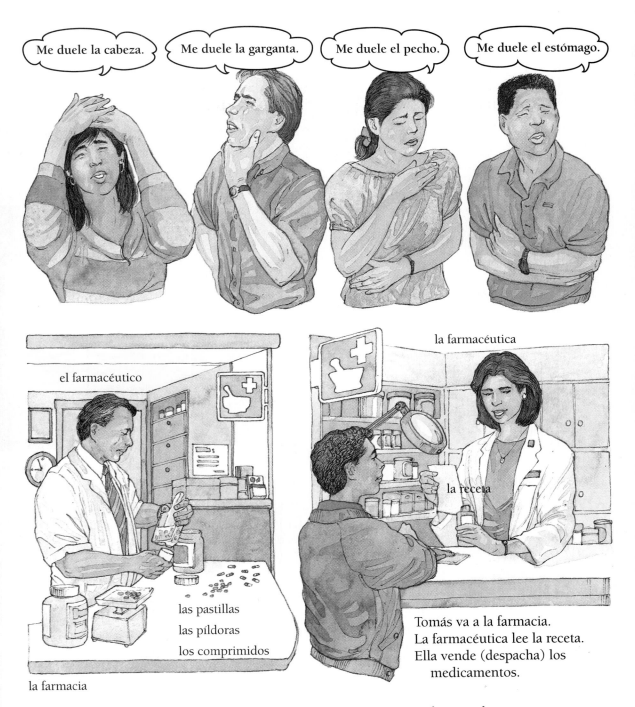

Me duele la cabeza.

Me duele la garganta.

Me duele el pecho.

Me duele el estómago.

el farmacéutico

las pastillas
las píldoras
los comprimidos

la farmacia

la farmacéutica

la receta

Tomás va a la farmacia.
La farmacéutica lee la receta.
Ella vende (despacha) los
medicamentos.

Nota: Here is a list of cognates related to health and nutrition. You can easily guess the meaning of these words.

la dieta	el síntoma	la fibra
las vitaminas	la alergia	las calorías
la proteína	la dosis	la droga
los ejercicios físicos	la diagnosis	
los ejercicios aeróbicos	los carbohidratos	

Ejercicios

A **En la consulta.** Contesten.

1. ¿Dónde está Tomás? ¿En la consulta del médico o en el hospital?
2. ¿Quién está enfermo? ¿Tomás o el enfermero?
3. ¿Quién examina a Tomás? ¿El médico o el farmacéutico?
4. En el consultorio, ¿quién ayuda al médico? ¿Tomás o el enfermero?
5. ¿Qué examina el médico? ¿El pecho o la garganta?
6. ¿Qué tiene que tomar Tomás? ¿Una inyección o una pastilla?
7. ¿Quién receta los antibióticos? ¿El médico o el farmacéutico?
8. ¿Adónde va Tomás con la receta? ¿A la clínica o a la farmacia?
9. ¿Qué despacha el farmacéutico? ¿Los medicamentos o las recetas?

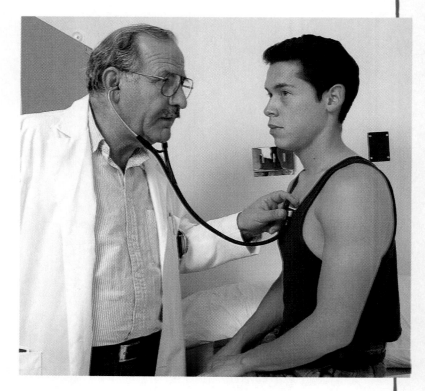

B **Tomás está enfermo.** Corrijan las oraciones falsas.

1. Tomás está muy bien.
2. Tomás está en el hospital.
3. Tomás abre la garganta en la consulta del médico.
4. El médico explica los síntomas a Tomás.
5. El farmacéutico receta unos antibióticos.
6. El médico despacha los medicamentos en la consulta.

C **¿Es bueno o malo para la salud?** Decidan Uds. Escriban en un papel.

	BUENO	MALO
1. Comer carbohidratos		
2. Tomar vitaminas		
3. Tomar drogas		
4. Hacer ejercicios aeróbicos		
5. Fumar cigarrillos		
6. Comer alimentos que contienen fibra		
7. Tomar o beber mucho alcohol		

Comunicación

Palabras 1 y 2

A **¿Cómo estás?** You and your partner will take turns asking how each other is feeling. Answer according to the cues and tell why.

> **contento(a)**
> Estudiante 1: ¿Cómo estás?
> Estudiante 2: Estoy contento(a).
> Estudiante 1: ¿Por qué? (¿Qué pasa?), (¿Qué tienes?)
> Estudiante 2: Sé que voy a sacar una "A" en la clase de español.

1. contento(a)
2. enfermo(a)
3. malo(a)

4. triste
5. cansado(a)
6. nervioso(a)

B **Para tener buena salud…** You and your partner will each write a paragraph about your health habits. You may use any or all of the expressions below. Exchange papers and advise each other how to improve your habits.

> **estar de buena salud**
> **fumar**
> **hacer ejercicios**
> **tomar medicamentos**
> **contar las calorías**
> **tomar vitaminas**
> **tener alergias**
> **comer carbohidratos**

C **¿Qué tienes?** You and your partner pretend you each have a common illness. You have to guess the illness by asking each other about your *síntomas*. Use the list below.

1. fiebre
2. escalofríos
3. tos
4. dolor en el pecho
5. dolor de garganta
6. dolor de cabeza
7. estornudar
8. estar cansado(a)

Las Autoridades Sanitarias advierten que:
FUMAR PERJUDICA SERIAMENTE LA SALUD.

ESTRUCTURA

Ser y estar

Describing Characteristics and Conditions

1. In Spanish there are two verbs that mean "to be," *ser* and *estar*. These verbs have separate and distinct uses. *Ser* is used to express inherent traits or characteristics that do not change.

> **María es rubia.**   **El edificio Colón es muy alto.**

2. *Estar* is used to express temporary conditions or states that can change.

> **Tomás está enfermo.**   **Está cansado y nervioso.**

Ejercicios

A ¿Cómo es? Formen oraciones según el modelo.

> Alberto   alto/bajo
> *Alberto no es alto. Es bajo.*

1. Teresa   morena/rubia
2. Carlos   aburrido/interesante
3. Lupe   antipática/simpática
4. El curso de español   difícil/fácil
5. La biología   aburrida/interesante

B **Rasgos físicos.** Digan quién es así.

1. rubio o rubia
2. moreno o morena
3. fuerte
4. bajo o baja
5. alto o alta
6. interesante
7. inteligente
8. simpático o simpática
9. sincero o sincera
10. divertido o divertida

C ¿Cómo eres? Den una descripción personal.

> *Yo soy moreno(a) y...*

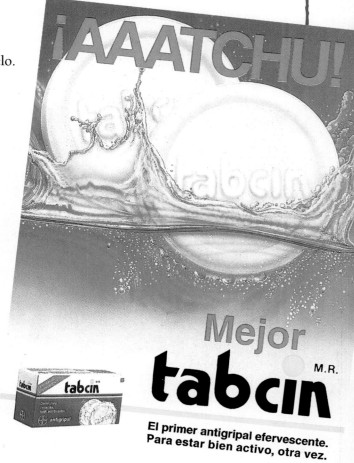

D ¿Cómo está y cómo es? Describan a cada persona según el dibujo.

1. Joselito

2. Marlena

3. Horacio

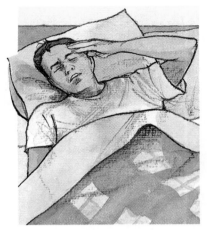

4. Inés

5. Roberto

6. Antonia

E ¿Ser o estar? Formen oraciones con *ser* o *estar*.

1. El médico/muy bueno
2. El muchacho/muy enfermo
3. El médico/inteligente
4. Su consultorio/moderno
5. El paciente/muy enfermo
6. La muchacha/cansada
7. El hospital/grande
8. El edificio/alto
9. Elena/triste
10. Su mamá/nerviosa
11. Joselito/bien
12. Todos/contentos

1. The verb *ser* is used to express where someone or something is from.

> **La muchacha es de Cuba.**
> **Las esmeraldas son de Colombia.**

2. *Estar* is used to express where someone or something is located.

> **Los alumnos están en la escuela.**
> **Los libros están en el salón de clase.**

Ejercicios

A **¿De dónde es?** Contesten según se indica.

> **¿Es cubano el muchacho?**
> *Sí, creo que es de Cuba.*

1. ¿Es colombiana la muchacha?
2. ¿Es guatemalteco el muchacho?
3. ¿Es puertorriqueña la joven?
4. ¿Es española la profesora?
5. ¿Es peruano el médico?
6. ¿Son venezolanos los amigos?
7. ¿Son chilenas las amigas?
8. ¿Son costarricenses los jugadores?

B **¿De dónde es su familia?**
Preguntas personales.

1. ¿De dónde son sus abuelos?
2. ¿De dónde son sus abuelas?
3. ¿De dónde son sus padres?
4. ¿De dónde es Ud.?

Un edificio de apartamentos en Madrid, España

C **¿Dónde está el apartamento?** Formen oraciones según el modelo.

> **Madrid/España**
> *Madrid está en España.*

1. la calle Velázquez/Madrid
2. el piso/la calle Velázquez
3. el piso/un edificio alto
4. el apartamento/cuarto piso
5. el apartamento/a la izquierda del ascensor

D **¿De dónde es y dónde está ahora?** Contesten.

1. Carlos es de Venezuela pero ahora está en México.
   ¿De dónde es Carlos?
   ¿Dónde está ahora?
   ¿De dónde es y dónde está?

2. Ángel es de Colombia pero ahora está en los Estados Unidos.
   ¿De dónde es Ángel?
   ¿Dónde está ahora?
   ¿De dónde es y dónde está?

3. La señora Salas es de Cuba pero ahora está en Puerto Rico.
   ¿De dónde es la señora Salas?
   ¿Dónde está ella ahora?
   ¿De dónde es la señora Salas y dónde está?

E **¿En qué clase estás?** Preguntas personales.

1. ¿Estás en la escuela ahora?
2. ¿Dónde está la escuela?
3. ¿En qué clase estás?
4. ¿En qué piso está la sala de clase?
5. ¿Está la profesora en la clase también?
6. ¿De dónde es ella?
7. ¿Y de dónde eres tú?
8. ¿Cómo estás hoy?
9. Y la profesora, ¿cómo está?
10. ¿Y cómo es?

F **Un amigo.** Completen con *ser* o *estar*.

Ángel ___ un amigo muy bueno. ___ muy atlético y ___
    ₁   ₂   ₃

muy inteligente. Además ___ sincero y simpático. Casi
                     ₄

siempre ___ de buen humor. Pero hoy no. Al contrario, ___
      ₅   ₆

de mal humor. ___ muy cansado y tiene dolor de cabeza.
          ₇

___ enfermo. Tiene la gripe. ___ en casa. ___ en cama.
₈   ₉   ₁₀

La casa de Ángel ___ en la calle 60. La calle 60 está en
               ₁₁

West New York. W.N.Y. no ___ en Nueva York. ___ en New Jersey.
                      ₁₂   ₁₃

Pero la familia de Ángel no ___ de West New York. Sus padres ___ de
                        ₁₄   ₁₅

Cuba y sus abuelos ___ de España. Ellos ___ de Galicia, una región
                 ₁₆   ₁₇

en el noroeste de España en la costa del Atlántico y del mar Cantábrico.
Ángel tiene una familia internacional.

Pero ahora todos ___ en West New York y ___ contentos.
                 ₁₈   ₁₉

Muchas familias en West New York ___ de ascendencia
                                      ₂₀

cubana. El apartamento de la familia de Ángel ___ muy
                                               ₂₁

bonito. ___ en el tercer piso y tiene una vista magnífica
      ₂₂

de la ciudad de Nueva York.

¡VIVELA A TU MANERA!

cuba

Grandeza arquitectónica de La Habana Vieja. Deportes náuticos en Varadero. Espectáculos de arte. Museos. Compras. Excursiones. Sabrosa vida nocturna y la hospitalidad de siempre.

¡Y mucho tiempo libre para que vivas como quieras!

Cuba . A tu manera

Los pronombres *me, te*

Telling What Someone Does for You

1. *Me* and *te* are object pronouns. They can be used as either a direct object or an indirect object. Note that the object pronoun is placed before the conjugated verb.

> *Me* duele la garganta.
> El médico *me* examina.
> ¿*Te* da una receta?
> Sí, sí. *Me* receta unos antibióticos.

2. The plural form of *me* is *nos*.

> Carlos *nos* llama por teléfono.
> *Nos* invita a la fiesta.
> Él *nos* va a dar una invitación.

Ejercicio

¿Qué te pasa? Contesten.

1. ¿Estás enfermo(a)?
2. ¿Te duele la cabeza?
3. ¿Te duele la garganta?
4. ¿Te duele el estómago?
5. ¿Te examina el médico?
6. ¿Te examina la garganta?
7. ¿Te da la diagnosis?
8. ¿Te receta unas pastillas?
9. ¿Te da una inyección?
10. ¿Te despacha los medicamentos el farmacéutico?

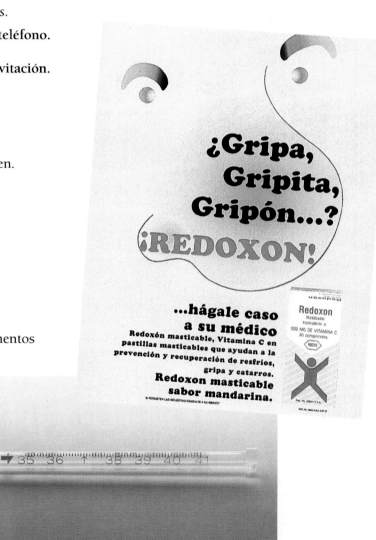

¿Gripa, Gripita, Gripón...?
¡REDOXON!

...hágale caso a su médico

Redoxón masticable, Vitamina C en pastillas masticables que ayudan a la prevención y recuperación de resfríos, gripa y catarros.
Redoxon masticable sabor mandarina.

Redoxon
Masticable
Equivalente a:
500 MG DE VITAMINA C
20 comprimidos

Escenas de la vida   *En la consulta del médico*

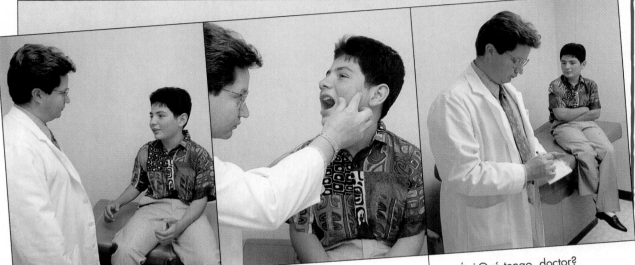

DOCTOR: ¿Qué te pasa, José?
Tienes la cara muy roja.
JOSÉ: Ay, doctor López. ¡Qué
enfermo estoy!
DOCTOR: No, José. No es tan serio.
¿Cuáles son tus síntomas?
JOSÉ: Pues, doctor, tengo fiebre.
Tengo escalofríos. Me duele la
garganta. ¡Ay, Dios mío!

DOCTOR: ¿Y te duele el pecho?
JOSÉ: Sí, me duele todo. Y tengo
tos.
DOCTOR: Bien, José. ¿Me puedes
abrir la boca? Sí, José. Ya veo.
La garganta está muy roja.

JOSÉ: ¿Qué tengo, doctor?
DOCTOR: No es nada serio. Tienes
la gripe. Te voy a recetar unos
antibióticos.

El pobre José.   Contesten.

1. ¿Dónde está José?
2. ¿Con quién habla él?
3. ¿Cómo está José?
4. ¿Qué tiene?
5. ¿Qué abre José?
6. ¿Examina la garganta el médico?
7. ¿Cómo está la garganta?
8. ¿Cuál es la diagnosis del médico?
9. ¿Qué receta el doctor López?

la boca
es la puerta
de tu salud

OJOS

CORAZON
PULMONES
RIÑONES
ESTOMAGO

ARTICULACIONES

no te pongas
en manos de
cualquiera

Ilustre Colegio Oficial de O...

Pronunciación   *Las consonantes j y g*

The Spanish **j** sound does not exist in English. In Spain the **j** sound is very guttural (coming from the throat). In Latin America the **j** is much softer.

ja	je	ji	jo	ju
Jaime	Jesús	ají	joven	jugar
hija	ejercicio	Jiménez	viejo	junio
jarabe	equipaje	jirafa	dibujo	julio

G in combination with **e** or **i** (*ge, gi*) has the same sound as the **j**. For this reason you must pay particular attention to the spelling of the words with **je**, **ji**, **ge**, and **gi**.

ge	gi
general	Gijón
gente	alergia
generoso	gimnasio

Repeat the following sentences.

> **El hijo del viejo general José trabaja en junio en Gijón.**
> **El jugador hace ejercicios en el gimnasio.**
> **El joven Jaime toma jarabe para la tos.**

El general hace ejercicios.

Comunicación

A **Me duele.** Tell your partner what hurts. Your partner is going to give you practical advice beginning with "Why don't you…?" Reverse roles.

> **la cabeza**
> **Estudiante 1: Me duele la cabeza.**
> **Estudiante 2: ¿Por qué no tomas aspirinas?**

1. la garganta
2. la cabeza
3. el estómago
4. el pecho
5. una mano
6. los pies

B **¿De dónde son?**   Write down the names of five famous people who are not Americans. See how much your partner knows about them by asking where each person is from and where the place is.

> **Julio Iglesias**
> **Estudiante 1: ¿De dónde es Julio Iglesias?**
> **Estudiante 2: ¿Es de la Argentina?**
> **Estudiante 1: No.**
> **Estudiante 2: ¿Es de España?**
> **Estudiante 1: Sí, es español. ¿Dónde está España?**
> **Estudiante 2: Está en Europa.**

Julio Iglesias, cantante español

LA SALUD

*H*oy día hay mucho interés en la salud y la forma física. En los periódicos y en las revistas de España y de Latinoamérica hay artículos sobre costumbres saludables y costumbres perjudiciales[1] para la salud. Dos recomendaciones que leemos frecuentemente son: mantener una dieta buena con la cantidad adecuada de calorías, vitaminas, carbohidratos, minerales, proteínas y fibra; no tomar drogas ni alcohol.

No hay duda que la dieta es importante. Pero es también importante seguir un programa o régimen de ejercicios físicos. En las grandes ciudades hispánicas hay gimnasios y salones donde la gente practica calistenia y ejercicios aeróbicos. En cada ciudad o pueblo hispano hay parques bonitos. Muchos van al parque a hacer jogging o "footing", a caminar[2] o a correr. Pero la verdad es que la manía que tienen los norteamericanos por ejercicios agotadores[3] no existe en los países hispanos.

Desgraciadamente, hay tres problemas graves en el campo de la salud que tenemos que confrontar. Estos problemas son la adicción a las drogas, el abuso del alcohol y el SIDA. En España hay una campaña de castigos[4] rigurosos contra los conductores de automóviles que manejan (conducen) bajo los efectos o la influencia del alcohol. Y en los grandes supermercados de San Juan, Puerto Rico, uno ve en cada carrito[5] el aviso "El SIDA mata—para más información llamar al 729-8410". Y en todas partes hay programas y campañas para educar a la gente sobre los peligros del uso de las drogas. La drogadicción, el alcoholismo y el SIDA son problemas que tenemos que resolver y vencer[6].

[1] perjudicial *harmful*
[2] caminar *to walk*
[3] agotadores *exhausting*
[4] castigos *punishment*
[5] carrito *cart*
[6] vencer *overcome, conquer*

Estudio de palabras

A **Palabras afines.** Busquen doce palabras afines en la lectura.

B **Las palabras derivadas.** Busquen en la lectura las palabra derivadas de las siguientes.

1. abusar
2. recomendar
3. perjudicar
4. la salud
5. el mantenimiento
6. la educación
7. la resolución
8. usar

C **Lo que deben hacer.** Escojan.

1. ___ importante es no tomar drogas ni alcohol.
   a. Una recomendación   b. Un régimen   c. Una cantidad

2. ___ es un ejercicio físico.
   a. La dieta   b. La manía   c. La calistenia

3. No es una práctica saludable. La verdad es que puede ser ___ para la salud.
   a. agotadora   b. perjudicial   c. importante

4. Es bueno para la salud. Es una cosa muy ___.
   a. saludable   b. perjudicial   c. adecuada

5. El pobre está muy enfermo. Su condición es muy seria, muy ___.
   a. buena   b. agotadora   c. grave

Comprensión

A **¿Qué es?** Completen.

1. Hoy día dos temas de mucho interés universal son…
2. Una recomendación para mantener buena salud es…
3. Una actividad que es perjudicial (mala) para la salud es…

B **Los problemas.** Contesten.

1. ¿Cuáles son tres problemas graves que existen hoy en el campo de la salud?
2. ¿Existen estos problemas en los Estados Unidos?
3. ¿Existen también en los países hispanos?

C **La idea principal.** Escojan la idea principal de esta lectura.

a. un régimen de ejercicios físicos   c. problemas médicos serios
b. cómo mantener la salud

DESCUBRIMIENTO CULTURAL

*E*n los Estados Unidos, si uno quiere o necesita antibióticos, ¿es necesario tener una receta? ¿Quién receta los medicamentos en los Estados Unidos? ¿Quién prepara la receta? ¿Quién despacha los medicamentos en los Estados Unidos?

Pues, en los países hispanos el farmacéutico despacha los medicamentos también. Pero no es necesario tener una receta para comprar antibióticos, por ejemplo. Uno puede explicar sus síntomas al farmacéutico y él o ella puede despachar los medicamentos sin receta. Hay una excepción: las medicinas que contienen sustancias controladas como los narcóticos o el alcohol. El farmacéutico no puede despachar estas medicinas sin receta del médico.

¡Y otra cosa muy importante! El precio de las medicinas en los países hispanos es mucho más bajo que el precio aquí en los EE. UU.

Santiago Ramón y Cajal

Carlos Juan Finlay y Barres

Las contribuciones del mundo hispano a la medicina son muchas y son importantes. Éstos son algunos ejemplos.

Miguel Servet (1511–1553), médico y humanista español, descubre la circulación pulmonar de la sangre.

El médico cubano, Carlos Juan Finlay y Barres (1833–1915), ayuda a descubrir que un mosquito transmite la fiebre amarilla.

El español, Santiago Ramón y Cajal (1852–1934) recibe el Premio Nobel de Medicina en 1906 por sus investigaciones sobre la estructura del sistema nervioso.

Y AQUÍ EN LOS ESTADOS UNIDOS

La puertorriqueña, Antonia Coello Novello, sirve de Cirujana General de los EE. UU. de 1989–1993.

Antonia Coello Novello

Es el Maratón Popular de Madrid **1**. Tiene lugar todos los años en el mes de abril. ¿Participas de vez en cuando en un maratón? ¿Cuántos kilómetros corres?

Saludable es una revista mexicana **2**. En esta revista hay buenos consejos para la salud.

Es la facultad de medicina de una universidad en un país hispano **3**. ¿Quieres ser médico?

Es un médico hispano **4**. Tiene su consulta en San Francisco. Él tiene muchos pacientes de habla española.

1

El Corte Inglés

2

SALUDABLE

AÑO 1 No. 2
U.S. $ 2.25

LA REVISTA DEL BIENESTAR

COMBATA
LAS ENFERMEDADES
GASTROINTESTINALES

LOS PELIGROS DE
AUTORRECETARSE

SU CEREBRO
ESTA LISTO PARA
CUALQUIER CAMBIO

LAS RADIACIONES
EN LA MEDICINA

U.S.A.
PUERTO RICO
VENEZUELA
COLOMBIA
PERU
ECUADOR
PANAMA
CENTROAMERICA

Comunicación oral

A **Me parece que…** You and your partner will tell one another a number of practices that each of you thinks are good for your health. If you disagree with your partner, say so, and recommend some changes.

B **¿Qué haces cuando…?** You will ask your partner, and then your partner will ask you what you do in the following circumstances.

> **tienes dolor de cabeza**
> **Estudiante 1: ¿Qué haces si tienes dolor de cabeza?**
> **Estudiante 2: Tomo aspirina.**

1. tienes fiebre
2. estás deprimido(a)
3. estás cansado(a)
4. tienes dolor de cabeza
5. te duelen los pies
6. estás enfermo(a)
7. tienes catarro
8. tienes tos

C **La geografía.** In teams of four students, carry out a "Geography Round Robin." Each team writes five questions testing knowledge of geography. (The writers must know the answers themselves!) Pairs of teams take turns asking each other questions. After each team has faced every other team, tally the results. The team with the most right answers wins.

> **¿Cuál es la capital de Cuba?** *Es La Habana.*
> **¿Dónde está Caracas?** *Está en Venezuela.*

Comunicación escrita

A **Pero doctor…** You are a doctor who has just examined a slightly overweight "couch potato" who is addicted to junk food and doesn't exercise. Write down your recommendations for this patient to lead a healthier life. Use *tienes que* and *no debes*.

> **Tienes que caminar más.**   **No debes comer chocolates.**

B **No es bueno para la salud.** In groups of three draw up a list of five things—foods, activities, and habits—that may be harmful to your health. Meet with another group to discuss your lists. See how many items you have in common. After your discussion come up with a final list of five items both teams agree on.

Reintegración

LA FAMILIA SALAS PUIG

José Salas Puig vive en Caracas, Venezuela. Su familia tiene un departamento muy bonito en la zona elegante de El Este. José y sus padres son de Venezuela. Son venezolanos. Pero sus abuelos no son de Venezuela. Son de España. Sus abuelos maternos, los Puig, son de Cataluña. Viven en Barcelona. El apellido Puig es un apellido muy catalán.

La madre de José es médica. Tiene su consulta en el centro médico. Trabaja también en el Hospital Británico. El padre de José no es médico. Él es biólogo. Trabaja en un laboratorio donde hacen investigaciones médicas. ¿Y José? ¿Va a ser médico? "De ninguna manera", dice él. "Basta ya de medicina y de ciencias". Él va a ser actor o jugador de fútbol.

A **La familia Salas Puig.** Completen.

1. José Salas Puig ___ en Caracas y yo ___ en ___. (vivir)
2. Ellos ___ en un departamento en El Este y nosotros ___ en un(a) ___ en ___. (vivir)
3. Su familia ___ un departamento y nosotros ___ un(a) ___. (tener)
4. José y sus padres ___ de Venezuela y yo ___ de ___. Mis padres ___ de ___. (ser)
5. El padre de José ___ en un laboratorio. ¿Dónde ___ tus padres? (trabajar)
6. El padre de José ___ investigaciones médicas y yo también ___ investigaciones científicas en la clase de biología. (hacer)

Vocabulario

SUSTANTIVOS

el catarro
la gripe
la fiebre
los escalofríos
la garganta
la cabeza
la boca
el estómago
el pecho
el dolor de garganta
el dolor de cabeza
el/la enfermo(a)
el/la médico(a)
el/la enfermero(a)
la consulta
el consultorio

el hospital
la clínica
la cama
el síntoma
la alergia
la diagnosis
el ejercicio
la farmacia
el/la farmacéutico(a)
la receta
la pastilla
la píldora
el comprimido
la droga
el medicamento
la medicina
la dosis

la dieta
la vitamina
la proteína
el carbohidrato
la caloría
la fibra

ADJETIVOS

cansado(a)
nervioso(a)
triste
contento(a)
enfermo(a)
bien
físico
aeróbico

VERBOS

ser
estar

estornudar
examinar
recetar
despachar
vender
toser
abrir

OTRAS PALABRAS Y EXPRESIONES

guardar cama
de buen humor
de mal humor
me duele

11

ACTIVIDADES DE VERANO

OBJETIVOS

In this chapter you will learn to do the following:

1. describe summer weather
2. talk about summer leisure activities
3. relate actions and events that took place in the past
4. refer to persons and things already mentioned
5. describe and talk about some summer resorts in the Hispanic world

PALABRAS 1

EL BALNEARIO

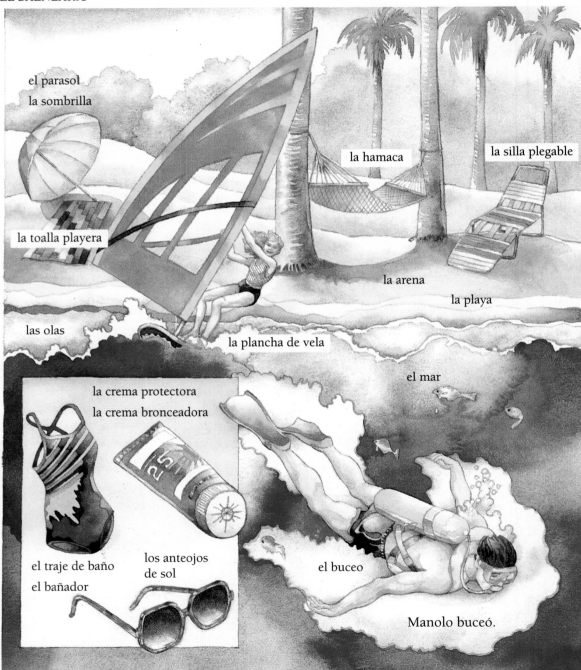

el parasol
la sombrilla

la hamaca

la silla plegable

la toalla playera

la arena

la playa

las olas

la plancha de vela

el mar

la crema protectora
la crema bronceadora

el traje de baño
el bañador

los anteojos de sol

el buceo

Manolo buceó.

el esquí acuático

Anita nadó.

Paco esquió en el agua.

el fin de semana

SÁBADO   DOMINGO

Ayer Gloria fue a la playa.
Ella pasó el fin de semana en la playa.
Ella lo pasó muy bien.
Usó crema protectora.
Tomó el sol.
Tomó (echó) una siesta en la hamaca.

La muchacha alquiló un barquito.

En el verano hace calor.
Hay sol.
El sol brilla en el cielo.

A veces hay nubes.
Cuando hay nubes, está nublado.
A veces hace viento. Llueve.

Ejercicios

A **¡A la playa!** Contesten según se indica.

1. ¿Adónde fue Gloria? (a la playa)
2. ¿Cuándo fue? (el viernes)
3. ¿Cuánto tiempo pasó en la playa? (el fin de semana)
4. ¿Dónde nadó? (en el mar)
5. ¿Qué usó? (crema protectora)
6. ¿Tomó el sol? (sí)
7. ¿Qué alquiló? (un barquito)
8. ¿Esquió en el agua? (sí)
9. ¿Cómo lo pasó en la playa? (muy bien)

B **¿Qué compró Lupita?** Contesten según la foto.

Compró…

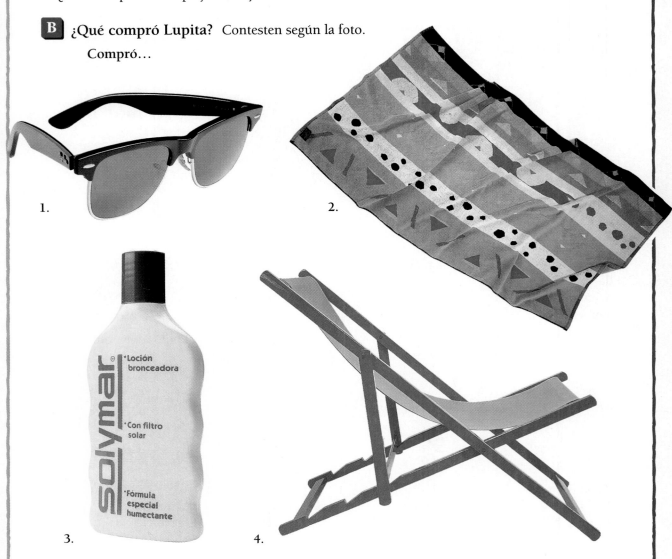

1.

2.

3.

4.

C **¿Y qué alquiló José?** Contesten según la foto.

Alquiló…

1.

2.

3.

4.

D **¿Cuál es la palabra?** Completen.

1. Un balneario tiene ___.
2. En la playa hay ___.
3. El Mediterráneo es un ___ y el Caribe es otro ___.
4. En el mar hay ___.
5. En la playa la ___ da protección contra el sol.
6. En el verano hace ___, no hace frío.
7. En el verano hay mucho ___.
8. A veces hay nubes. Cuando hay nubes está ___.
9. A veces también hace ___ y entonces practico la plancha de vela.

PALABRAS 2

LOS DEPORTES

la piscina
la alberca

el lago

el juego de tenis   el tenis

la raqueta
la cabeza
el mango
la pelota

la cancha de tenis

Los amigos jugaron al tenis.   Golpeó la pelota con la raqueta.

el green

el campo de golf

el juego de golf
el golf

el palo
el bastón

la bolsa de golf

Golpeó la bola con el bastón.
La bola está en el hoyo.

la bola
la pelota

el hoyo

Nota: To tell about something that happened in the past you may want to use the following expressions:

EL PRESENTE		EL PASADO	
hoy	esta mañana	ayer	el año pasado
esta noche	este año	anoche	la semana pasada
esta tarde	esta semana	ayer por la tarde	anteayer
		ayer por la mañana	

Ejercicios

A **¿Qué jugaron?** Contesten según se indica.

1. ¿Dónde jugaron al tenis? (en la cancha de tenis)
2. ¿Dónde jugaron al golf? (en el campo de golf)
3. ¿Dónde nadaron? (en la piscina)
4. En el juego de tenis, ¿con qué golpearon la pelota? (la raqueta)
5. En el juego de golf, ¿con qué golpearon la pelota o la bola? (el bastón)
6. ¿En qué juego pasó la pelota por encima de una red? (el tenis)
7. ¿En qué juego entró la bola en un hoyo? (el golf)
8. ¿En qué llevaron los jugadores los palos? (la bolsa de golf)

B **¿Qué deporte es?** Escojan. Escriban en una hoja de papel.

	LA NATACIÓN	EL GOLF	EL TENIS
1. la piscina			
2. el palo			
3. la pelota			
4. la bola			
5. el hoyo			
6. la raqueta			
7. la red			

C **¿Qué compró Eduardo?** Contesten según la foto.

1.

2.

3.

4.

 **¿Cuándo? ¿Hoy o ayer?** Contesten según el modelo.

> ¿Hoy?
> *¡Hoy, no! Ayer.*

1. ¿Hoy?
2. ¿Esta semana?
3. ¿Esta noche?
4. ¿Este año?
5. ¿Esta mañana?

Comunicación

Palabras 1 y 2

A **¿Adónde vamos?** Together with your partner develop a conversation about plans to go swimming tomorrow. Begin by inviting your partner to go with you. Cover such details as: where to go—pool, lake, or beach; times of departure and return; and things to take along.

B **¿Qué haces?** On a separate sheet of paper, fill in the chart for each member in your group, indicating what each person does during each season. When the chart is complete, decide as a group which season is the most active, boring, or interesting. Report to the class.

LAS ESTACIONES			
Primavera	Verano	Otoño	Invierno

C **En la playa.** Describe three kinds of weather at the beach. Your partner will tell you what he or she likes to do when the day is like that at the beach.

> Estudiante 1: Hace viento.
> Estudiante 2: Cuando hace viento practico la plancha de vela.

D **Dime, por favor.** With your partner, develop a list of questions about swimming, then each of you will interview at least two classmates to find out if they go swimming in the summer, when they go, how often, etc. When you finish, compare results.

ESTRUCTURA

El pretérito de los verbos en *-ar*   *Describing Past Actions*

1. You use the preterite to express actions that began and ended at a definite time in the past.

> **Ayer María pasó el día en la playa.**
> **Yo, no. Pasé la mañana en la escuela.**

2. The preterite of regular *-ar* verbs is formed by dropping the infinitive ending *-ar*, and adding the appropriate endings to the stem. Study the following forms.

INFINITIVE	HABLAR	TOMAR	NADAR	ENDINGS
STEM	**habl-**	**tom-**	**nad-**	
yo	hablé	tomé	nadé	-é
tú	hablaste	tomaste	nadaste	-aste
él, ella, Ud.	habló	tomó	nadó	-ó
nosotros(as)	hablamos	tomamos	nadamos	-amos
vosotros(as)	*hablasteis*	*tomasteis*	*nadasteis*	*-asteis*
ellos, ellas, Uds.	hablaron	tomaron	nadaron	-aron

3. Note that verbs that end in *-gar*, *-car*, and *-zar* have a spelling change in the *yo* form.

> ¿Tocaste la guitarra?   Sí, la toqué.
> ¿Marcaste un tanto?   Sí, marqué un tanto.
> ¿Llegaste a tiempo?   Sí, llegué a tiempo.
> ¿Jugaste (al) tenis?   Sí, jugué (al) tenis.
> ¿Empezaste a jugar?   Sí, empecé a jugar.

4. Study the following examples of the preterite. They all express activities or events that took place at a specific time in the past.

> **Ayer María pasó el día en la playa.**
> **Yo, no. Pasé la mañana en la escuela.**
> **Pasé la tarde en la piscina donde nadé.**
> **María nadó y yo nadé. Los dos nadamos.**
> **Ella nadó en el mar y yo nadé en la piscina.**
> **Nadamos ayer y anteayer también.**

Ejercicios

A **Pasó la tarde en la playa.** Contesten.

1. Ayer, ¿pasó Rosa la tarde en la playa?
2. ¿Tomó ella mucho sol?
3. ¿Usó crema protectora?
4. ¿Nadó en el mar?
5. ¿Alquiló un barquito?
6. ¿Esquió en el agua?

B **¿Jugaron al tenis?** Contesten según se indica.

1. ¿Qué compraron los amigos? (una raqueta)
2. ¿A qué jugaron los jóvenes? (tenis)
3. ¿Jugaron en una cancha cubierta? (no, al aire libre)
4. ¿Golpearon la pelota? (sí)
5. ¿Jugaron individuales (*singles*) o dobles? (dobles)
6. ¿Quiénes marcaron el primer tanto? (Alicia y José)
7. ¿Quiénes ganaron el partido? (ellos)

Una playa en el Condado, San Juan, Puerto Rico

C **¡A casa!** Contesten.

1. Anoche, ¿a qué hora llegaste a casa?
2. ¿Preparaste la comida?
3. ¿Estudiaste?
4. ¿Miraste la televisión?
5. ¿Escuchaste discos?
6. ¿Hablaste por teléfono?
7. ¿Con quién hablaste?

D **Pablo, ¿jugaste?** Formen preguntas según el modelo.

> **¿Jugó Pablo?**
> *No sé. Pablo, ¿jugaste?*

1. ¿Jugó Pablo al baloncesto?
2. ¿Dribló con el balón?
3. ¿Pasó el balón a un amigo?
4. ¿Tiró el balón?
5. ¿Encestó?
6. ¿Marcó un tanto?

E **Durante la fiesta.** Sigan el modelo.

celebrar
Durante la fiesta mis amigos y yo celebramos.

1. celebrar   4. tomar un refresco
2. bailar   5. tomar fotos
3. cantar   6. hablar

F **¿Y Uds.? Ayer en la clase de español.** Sigan el modelo.

Hablamos mucho en la clase de español.
Y Uds., ¿hablaron también?

1. Cantamos una canción mexicana.   4. Tocamos la guitarra.
2. Miramos el mapa.   5. Tomamos un examen.
3. Buscamos la capital de España.   6. Escuchamos un disco.

G **Un juego de golf.** Completen.

Ayer, José, sus amigos y yo ___ (jugar) al golf. Nosotros ___ (pasar) la tarde en
$\overline{1}$ $\overline{2}$
el campo de golf municipal. Yo ___ (llegar) al campo a las dos y ellos ___
$\overline{3}$ $\overline{4}$
(llegar) a las dos y media. Yo ___ (sacar) mis palos de mi nueva bolsa de golf.
$\overline{5}$

—¿Nueva? ¿Cuándo la ___ (comprar) tú?
$\overline{6}$

—Pues, la ___ (comprar) ayer por la mañana.
$\overline{7}$

Yo ___ (golpear) primero y luego José ___
$\overline{8}$ $\overline{9}$
(golpear). La bola ___ (volar) por el aire y ___
$\overline{10}$ $\overline{11}$
(volar) al green donde ___ (llegar) a tierra.
$\overline{12}$
José la ___ (golpear) una vez más y la bola ___
$\overline{13}$ $\overline{14}$
(entrar) en el hoyo.

H **Yo llegué al estadio.** Cambien *nosotros*
en *yo*.

Ayer nosotros llegamos al estadio y empezamos
a jugar fútbol. Jugamos muy bien. No tocamos
el balón con las manos. Lo lanzamos con el pie
y con la cabeza. Marcamos tres tantos.

Severiano Ballesteros, golfista español

Los pronombres de complemento directo

Referring to People and Things Already Mentioned

1. Note the following sentences. The words in italics are direct objects. The direct object is the word in the sentence that receives the action of the verb. Note that in Spanish the direct object pronoun comes before the verb.

Elena compró *el boleto*.	Elena *lo* compró.
Compró *los boletos* en la ventanilla.	*Los* compró en la ventanilla.
Elena pone *la crema* en la maleta.	Elena *la* pone en la maleta.
Pone *las toallas* en la maleta.	*Las* pone en la maleta.
Elena conoce *al muchacho*.	Elena *lo* conoce.
Conoce *a los muchachos*.	*Los* conoce.
Roberto conoce *a Elena*.	Roberto *la* conoce.
Conoce *a sus amigas*.	*Las* conoce.

   The direct object of each sentence in the first column is a noun. The direct object of each sentence in the second column is a pronoun. Remember that a pronoun is a word that replaces a noun.

2. A direct object pronoun must agree with the noun it replaces. *Lo* replaces a masculine singular noun and *los* replaces a masculine plural noun. *La* replaces a feminine singular noun and *las* a feminine plural noun. The pronouns *lo, la, los,* and *las* replace either a person or a thing.

Elena alquiló *el barquito*.	Elena *lo* alquiló.
Elena ve *a sus amigas*.	Elena *las* ve.

3. Note the placement of the direct object pronoun in a negative sentence. It cannot be separated from the verb by the negative word.

   Elena no *lo* compró.
   Rafael no *la* usó.

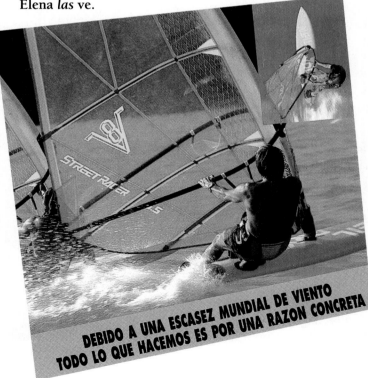

DEBIDO A UNA ESCASEZ MUNDIAL DE VIENTO TODO LO QUE HACEMOS ES POR UNA RAZON CONCRETA

Ejercicios

A **Aquí lo tienes.** Sigan el modelo.

> **¿El bañador?**
> *Aquí lo tienes.*

1. ¿El bañador?
2. ¿El traje de baño?
3. ¿El tubo de crema?
4. ¿La toalla?
5. ¿La crema bronceadora?
6. ¿Los anteojos de sol?
7. ¿Los boletos?
8. ¿Los esquís?
9. ¿Las toallas playeras?
10. ¿Las raquetas?

B **El lo compró.** Sigan el modelo.

> **la toalla**
> *Sí, la compró.*

1. la crema bronceadora
2. la toalla playera
3. los anteojos de sol
4. el traje de baño
5. la bolsa de golf
6. las bolas
7. la raqueta
8. los palos de golf

C **Ella lo alquiló.** Sigan el modelo.

> **¿El barquito?**
> *Sí, lo alquiló.*

1. ¿La plancha de vela?
2. ¿Los esquís?
3. ¿Los palos?
4. ¿El equipo para el buceo?
5. ¿La sombrilla?
6. ¿La hamaca?

D **Sí, los tengo.** Contesten con el pronombre.

1. ¿Tienes los boletos para entrar en la playa?
2. ¿Tienes los anteojos de sol?
3. ¿Tienes la crema bronceadora?
4. ¿Pones el tubo en la bolsa?
5. ¿Pones las toallas en la bolsa también?
6. ¿Llevas las sillas plegables a la playa o las alquilas allí?
7. ¿Alquilas la sombrilla?

En la playa en Tulum, México

El pretérito de los verbos *ir* y *ser*   *Describing Past Actions*

1. The verbs *ir* and *ser* are irregular in the preterite tense. Note that they have identical forms.

INFINITIVE	IR	SER
yo	fui	fui
tú	fuiste	fuiste
él, ella, Ud.	fue	fue
nosotros(as)	fuimos	fuimos
vosotros(as)	*fuisteis*	*fuisteis*
ellos, ellas, Uds.	fueron	fueron

2. The context in which each verb is used in the sentence will clarify the meaning. The verb *ser* is not used very often in the preterite.

> **El Sr. Martínez fue profesor de español.**
> **Él fue a España.**

> **Mi abuelo fue médico.**
> **Mi abuelo fue al médico.**

Ejercicios

A **¿Adónde fuiste ayer?**   Preguntas personales.

1. Ayer, ¿fuiste a la escuela?
2. ¿Fuiste a la playa?
3. ¿Fuiste a la piscina?
4. ¿Fuiste al campo de fútbol?
5. ¿Fuiste a la cancha de tenis?
6. ¿Fuiste a las montañas?
7. ¿Fuiste a casa?
8. ¿Fuiste a la tienda?

B **Fui a la escuela.**   Contesten.

1. ¿Fuiste a la escuela ayer?
2. ¿Fue tu amigo también?
3. ¿Fueron juntos?
4. ¿Fueron en carro?
5. ¿Fue también la hermana de tu amigo?
6. ¿Fue ella en carro o a pie?

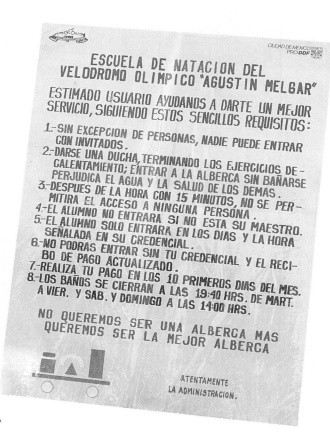

ESCUELA DE NATACION DEL
VELODROMO OLIMPICO "AGUSTIN MELGAR"

ESTIMADO USUARIO AYUDANOS A DARTE UN MEJOR SERVICIO, SIGUIENDO ESTOS SENCILLOS REQUISITOS:

1.- SIN EXCEPCION DE PERSONAS, NADIE PUEDE ENTRAR CON INVITADOS.
2.- DARSE UNA DUCHA, TERMINANDO LOS EJERCICIOS DE CALENTAMIENTO; ENTRAR A LA ALBERCA SIN BAÑARSE PERJUDICA EL AGUA Y LA SALUD DE LOS DEMAS.
3.- DESPUES DE LA HORA CON 15 MINUTOS, NO SE PERMITIRA EL ACCESO A NINGUNA PERSONA.
4.- EL ALUMNO NO ENTRARA SI NO ESTA SU MAESTRO.
5.- EL ALUMNO SOLO ENTRARA EN LOS DIAS Y LA HORA SEÑALADA EN SU CREDENCIAL.
6.- NO PODRAS ENTRAR SIN TU CREDENCIAL Y EL RECIBO DE PAGO ACTUALIZADO.
7.- REALIZA TU PAGO EN LOS 10 PRIMEROS DIAS DEL MES.
8.- LOS BAÑOS SE CIERRAN A LAS 19:40 HRS. DE MART. A VIER. Y SAB. Y DOMINGO A LAS 14:00 HRS.

NO QUEREMOS SER UNA ALBERGA MAS
QUEREMOS SER LA MEJOR ALBERCA

ATENTAMENTE
LA ADMINISTRACION.

Escenas de la vida *La tarde en la playa*

ELENA: ¿Adónde fuiste ayer?
CARMEN: Pues, fui a la playa.

ELENA: ¿Fuiste a la playa y no me invitaste?
CARMEN: Pues, te llamé por teléfono pero no contestaste.

ELENA: ¡Verdad! Fui a casa de Paco. Nadamos en su piscina.
CARMEN: Pues, Uds. nadaron en la piscina y yo nadé en el mar.

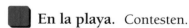 **En la playa.** Contesten.

1. ¿Adónde fue Carmen?
2. ¿Invitó a Elena?
3. ¿Trató de invitar a Elena?
4. ¿La llamó por teléfono?
5. ¿Contestó Elena?
6. ¿Adónde fue ella?
7. ¿Dónde nadaron Elena y Paco?
8. ¿Y dónde nadó Carmen?

Pronunciación   *La consonante r*

The Spanish trilled **r** sound does not exist in English. When a word begins with an **r** (initial position), the **r** is trilled. Within a word double **r** (**rr**) is also pronounced as a trilled sound.

ra	re	ri	ro	ru
raqueta	refresco	Ricardo	Roberto	Rubén
rápido	receta	rico	rojo	ruta

The sound for a single **r** within a word (medial position) does not exist in English either. It is trilled less than the initial **r** or **rr**.

ra	re	ri	ro	ru
parasol	arena	balneario	miro	Aruba
playera	moreno	María	enfermero	Perú

El perrito lleva un parasol rojo.

Repeat the following sentences.

Rápido corren los carros del ferrocarril.
La señorita puertorriqueña lleva el parasol rojo al balneario.
El perrito de Roberto corre en la arena.

Comunicación

A **¿Adónde fuiste?** Ask your partner if he or she went to each of the places on the list last summer. If he or she did, then ask for the specific place. If your partner didn't go there, ask why not. Reverse roles.

la playa
Estudiante 1: ¿Fuiste a la playa el verano pasado?
Estudiante 2: Sí.
Estudiante 1: ¿A qué playa fuiste?
Estudiante 2: Fui a Myrtle Beach.

1. la piscina
2. el mar
3. las montañas
4. el campo
5. el lago
6. el campo de golf
7. la playa

En los Pirineos en España

B **En el verano.** Work in groups of four. Each member of your group will list three things that he or she does during the summer. Together, decide what it is that most of the members do, and what is the most interesting thing on the lists. Assign one member of the group to report to the class.

LAS PLAYAS DE LOS PAÍSES HISPANOS

¿Viajar por los países de habla española y no pasar unos días en un balneario? ¡Imposible! Sólo hay que (tiene que) mirar un mapa para ver que en el mundo hispano no faltan[1] playas famosas—famosas aun entre los "jet-setters".

La playa de Luquillo, Puerto Rico

En el verano, cuando hace calor y el sol brilla en el cielo, que en algunos lugares como México, Puerto Rico y Venezuela es todo el año—mucha gente acude o va a los balnearios. Nadan en el mar o sólo toman el sol para volver (regresar) a casa muy tostaditos o bronceados. Los tipos más deportivos esquían en el agua o practican la plancha de vela o la tabla hawaiana, o como dicen muchos el "surfing". Pero cuidado, si nadas o si esquías en el agua es muy importante usar una crema protectora. Los rayos del sol pueden causar cáncer de la piel.

Los balnearios ofrecen una gran variedad de diversiones[2] como, por ejemplo, casinos, discotecas, canchas de tenis y campos de golf. En fin, hay de todo[3] para todos.

Y tú, el año pasado, ¿nadaste en las aguas cristalinas de Luquillo en Puerto Rico? ¿Practicaste la tabla hawaiana en la Playa Brava de Punta del Este, Uruguay? ¿Alquilaste un yate en el elegante Club de Pescadores en Marbella, España? ¿Bailaste hasta la medianoche en una discoteca de Acapulco? ¿No? Pues, ¿por qué no practicas un poquito más[4] el español? Y el año que viene—¡a la playa a disfrutar[5]!

[1] no faltan *aren't lacking*
[2] diversiones *amusements*
[3] todo *everything*
[4] poquito más *a little more*
[5] disfrutar *to enjoy*

Punta del Este, Uruguay

Estudio de palabras

A **Palabras afines.** Busquen doce palabras afines en la lectura.

B **¿Qué significa?** Busquen la palabra que significa lo mismo.

1. famoso
2. el lugar
3. acude
4. tostadito
5. ofrece
6. cristalino
7. la medianoche
8. volver
9. de habla española
10. hay que

a. regresar
b. célebre
c. claro
d. bronceado
e. el sitio, la localidad
f. las doce de la noche
g. va
h. da, provee
i. donde la gente habla español
j. es necesario

Comprensión

A **Los errores.** Corrijan las oraciones falsas.

1. Hay pocas playas en el mundo hispano.
2. Hace calor en el invierno.
3. Los balnearios están en la costa.
4. Las diversiones son cosas serias.
5. Él está muy tostado porque toma mucho sol.

B **De vacaciones.** Completen.

1. Los balnearios tienen ___ bonitas.
2. Los jóvenes bailan en una ___.
3. Juegan al tenis en ___.
4. Juegan al golf en ___.

C **Informes.** Contesten.

1. ¿Cuáles son los nombres de cuatro playas famosas de los países hispanos?
2. ¿En qué país está cada playa?
3. ¿Cuáles son algunas diversiones que ofrecen los balnearios?

DESCUBRIMIENTO CULTURAL

*E*s verdad que el mundo hispano es famoso por sus playas. La costa occidental de México tiene playas desde Baja California hasta Oaxaca. En el Caribe, en el este, hay playas famosas en Cozumel y Cancún. Y si los turistas no quieren pasar sus vacaciones enteras en la playa, pueden ir a visitar las ruinas mayas en la península de Yucatán.

Puerto Rico, una isla tropical en el Caribe, tiene playas fabulosas. Rincón es el lugar de los campeonatos de tabla hawaiana o surfing. Rincón está en la costa occidental de Puerto Rico en el canal de la Mona que está entre Puerto Rico y la República Dominicana. Si uno tiene suerte, puede ver desde las playas de esta región las ballenas[1] que saltan del[2] agua.

Punta del Este es un balneario famoso del Uruguay. Punta del Este está en una península muy estrecha[3]. En la península hay pinos y eucaliptos a lo largo de toda la costa. En Punta del Este hay

mansiones y condominios de gran lujo. ¿De quiénes son estas residencias fabulosas? La mayoría son de los millonarios argentinos y brasileños que pasan sus vacaciones allí. En el campo de golf de Punta del Este hay frecuentemente campeonatos internacionales.

Cerca de Punta del Este está la isla de Lobos. Es una reserva natural del gobierno uruguayo. En esta isla viven más de 500,000 lobos de mar. La isla está realmente cubierta de lobos de mar. Es una palabra interesante porque en inglés decimos "sea lions", leones, pero en español son lobos o "wolves".

Juan Ashton, surfista puertorriqueño

CERCA DEL MAR Y DEL CIELO

ACAPULCO
MAS CERCA QUE NUNCA

La playa Montaña de Oro, California

Una paella valenciana

Ya sabemos que muchos habitantes de Puerto Montt son de origen alemán. En la región de Punta del Este y Montevideo, que está muy cerca, hay mucha gente de ascendencia italiana.

Y en España hay playas a lo largo de la costa. En España, si vas a la playa, tienes que comer una paella. ¿Qué es la paella? Es un plato con arroz y muchos mariscos: camarones⁴, mejillones⁵, almejas⁶, langostas⁷, etc. La paella es originaria de Valencia, en la costa oriental de España.

Y AQUÍ EN LOS ESTADOS UNIDOS

Todas estas playas están en los EE. UU. ¿Sabes dónde están? Sólo necesitas un mapa de California y de la Florida: Bahía Honda, Trinidad, Pescadero, San Agustín, Cañaveral, Bonita, San Clemente, el Capitán, Ponte Vedra, Laguna, el Presidio de Santa Bárbara, Atascadero, Montaña de Oro.

Ahora sabes dónde están. ¿Sabes qué quieren decir los nombres?

¹ ballenas *whales*
² saltan *jump out*
³ estrecha *narrow*
⁴ camarones *shrimp*
⁵ mejillones *mussels*
⁶ almejas *clams*
⁷ langostas *lobster*

REALIDADES

1

2

Vamos a la playa Sol Caribe en Cozumel, México **1**. Podemos pasar nuestras vacaciones de verano aquí. La playa es maravillosa.

Son condominios en Punta del Este, Uruguay **2**. ¿Por qué no rentas uno?

En Viña del Mar, Chile, también puedes pasar unas vacaciones de verano fabulosas **3**. Pero si quieres ir a la playa para nadar, tienes que ir en diciembre porque Chile está en el hemisferio sur.

Es el templo de los Guerreros en Chichén Itza **4**. Este centro arqueológico maya está en la península de Yucatán.

3

4

CULMINACIÓN

Comunicación oral

A **De compras.** You are getting ready for a trip to the beach. With your partner make a list of the things you have to buy. Then decide what stores you will go to. At the stores, you and your partner alternate as store clerk and customer in some brief conversations.

En la playa en Chile

B **No, porque. . .** Ask if your partner wants to do the following things this weekend. Your partner is going to play hard to please by saying no and giving a reason.

> jugar al tenis
> Estudiante 1: ¿Quieres jugar al tenis este fin de semana?
> Estudiante 2: No, porque jugué mucho ayer.

1. jugar (al) golf
2. nadar
3. ir a la piscina
4. esquiar en el agua
5. patinar

C **Mi deporte favorito.** Pick your favorite sport and describe it, but incorrectly. Your partner will try to catch the error and then correct your description.

> Estudiante 1: En el fútbol los jugadores tocan el balón con las manos.
> Estudiante 2: De ninguna manera. Los jugadores tocan el balón con los pies o con la cabeza.

Comunicación escrita

A **En el lago.** Write a paragraph about a day you spent at a beach, lake, or pool. Some verbs you may want to use are:

ir	pasar	llamar por teléfono
llegar	nadar	ir a una discoteca
tomar el sol	broncear	bailar
llevar	esquiar en el agua	invitar
alquilar	bucear	escuchar
tomar un refresco	descansar	
tomar una siesta	tomar fotos	

B **Mi diario.** You spent your vacation in Acapulco, Mexico. Write a letter to a friend telling him or her what you did and what you bought.

Reintegración

A **El invierno.** Describan el tiempo en el invierno.

B **Actividades de invierno.** Empleen (usen) cada palabra en una oración.

1. esquiar
2. la pista
3. los esquís
4. el telesquí
5. patinar
6. los patines

C **Tu salud.** Contesten.

1. ¿Cómo estás hoy?
2. ¿Estás cansado(a) o no?
3. ¿Tienes catarro?
4. ¿Tienes tos?
5. Cuando tienes catarro, ¿estornudas mucho?
6. ¿Tienes dolor de garganta?
7. Cuando tienes catarro, ¿te duele el pecho?
8. Si comes algo malo, ¿te duele el estómago?

Vocabulario

SUSTANTIVOS

la playa
el balneario
la arena
el mar
la ola
la sombrilla
el parasol
la hamaca
la silla plegable
la toalla playera
la crema bronceadora
la crema protectora
el traje de baño
el bañador
los anteojos de (para el) sol
el esquí acuático
el barquito
el buceo
la plancha de vela
el fin de semana
la piscina
la alberca
el lago

el verano
el calor
el sol
el cielo

el viento
la nube

el tenis
la cancha de tenis
el juego de tenis
la pelota
la raqueta
el mango
la cabeza
el golf
el campo de golf
el juego de golf
la bolsa de golf
el palo
el bastón
la pelota
la bola
el hoyo
el green

ADJETIVOS

playero(a)
acuático(a)
bronceador(a)
protector(a)
plegable

VERBOS

pasar
bucear
nadar
alquilar
echar
golpear
brillar

OTRAS PALABRAS Y EXPRESIONES

hace calor
hay sol
está nublado
hace viento
llueve
ayer
anteayer
anoche
ayer por la tarde
ayer por la mañana
el año pasado
la semana pasada
hoy
esta noche
esta tarde
esta mañana
este año
esta semana

CAPÍTULO

12

ACTIVIDADES CULTURALES

OBJETIVOS

In this chapter you will learn to do the following:

1. discuss movies, plays, and museums
2. discuss cultural events
3. relate actions or events that took place in the past
4. tell for whom something is done
5. discuss some dating customs in the United States and compare them with those in Spanish-speaking countries
6. talk about cultural activities that are popular in the Spanish-speaking world

PALABRAS 1

EN EL CINE

la pantalla

el film
la película

M A R I A N E L A

la taquilla

la sesión

7:00 P.M.
11:00 P.M.

la entrada
la localidad

el cine

la butaca

la cola   la fila

Independencia

Carlos salió.
Perdió el autobús.

Tomó el metro.
Subió al metro en la estación Independencia.

la fila

EN EL MUSEO

Carlos vio una película en el cine.

el mural

el cuadro

la exposición de arte

la escultora

la estatua

el artista

Los turistas vieron una exposición en el museo.

EN EL CONCIERTO

la orquesta

los músicos

el director de orquesta

Ejercicios

A **Al cine.** Contesten.

1. ¿Salió anoche Carlos?
2. ¿Adónde fue?
3. ¿Compró una entrada en la taquilla?
4. ¿Asistió a la sesión de la tarde o de la noche?
5. ¿Tomó el autobús Carlos?
6. ¿Por qué no tomó el autobús?
7. ¿Qué tomó?
8. ¿En qué estación subió al metro?

B **En la taquilla.** Escojan.

1. La gente hace cola ___.
   a. en las butacas   **b.** en la pantalla   **c.** en la taquilla

2. Compran ___ en la taquilla del cine.
   a. butacas   **b.** entradas   **c.** películas

3. Dan ___ en el cine.
   a. entradas   **b.** novelas
   c. películas

4. La ___ es una silla o un asiento en el cine o en el teatro.
   a. butaca   **b.** entrada
   c. taquilla

5. Proyectan la película en ___.
   a. la butaca   **b.** la pantalla
   c. el metro

C **¿Cuál es la palabra?** Den la palabra correcta.

1. un asiento o una silla en el cine o en el teatro
2. un boleto o billete para entrar en el cine o en el teatro
3. la ventanilla o la boletería de un cine o de un teatro
4. un vehículo con ruedas que es un medio de transporte público
5. un medio de transporte subterráneo
6. lugar donde paran los metros

PALABRAS 2

EL TEATRO

Los actores dieron una representación de *Bodas de Sangre*.
Los actores y las actrices entraron en escena.

El autor García Lorca escribió la obra teatral.

un espectáculo musical

Los espectadores vieron un espectáculo musical.
El público aplaudió.

la cuenta

el mesero

la propina

el menú

la mesa

Después del teatro, María y sus amigos comieron en un restaurante.
El mesero le dio el menú.
Después de la comida, el mesero le dio la cuenta.
Ella le dio (dejó) una propina.

Ejercicios

A **Algunas diversiones.** Contesten.

1. Por la tarde, ¿salió María?
2. ¿Fue al museo?
3. ¿Vio una exposición de arte moderno?
4. Después, ¿fue a un restaurante?
5. ¿Comió en el restaurante?
6. ¿Le dio el menú el mesero?
7. Después de la comida, ¿le dio la cuenta?
8. ¿María le dio una propina al mesero?

B **En el teatro.** Contesten.

1. ¿Quiénes entraron en escena?
2. ¿Qué dieron?
3. ¿Quién escribió la obra?
4. ¿Cuándo aplaudieron los espectadores?

C **¿Dónde?** Escojan y escriban en otro papel.

	EL CINE	EL TEATRO	EL MUSEO
1. la representación			
2. la película			
3. la pantalla			
4. la escena			
5. la exposición			
6. el actor			
7. el cuadro			
8. la actriz			

Comunicación

Palabras 1 y 2

A **¿Vas al cine?** Form groups of four and determine how often each member goes to the movies and what kinds of movies are the most popular. Use the list below. Report to the class on the average amount of movie-going for the group, who goes to the movies most and least frequently, and the most and least popular kinds of movies for the group.

policíaca	de ciencia ficción
cómica	musical
un espectáculo musical	folklórica
una tragedia	documental
una comedia	del oeste
de horror	

B **El concierto.** Call the theater to order tickets for a concert. Your partner is the ticket agent. Make sure you cover all of the following: name of the musical group; time, day, and date of the concert; price of the the tickets; method of payment—cash or credit card.

C **Los museos.** Compare museum visits with your partner. Find out from each other what museums you went to, when you went there, and what you saw. Below are some useful words for your conversation.

arte moderno
Estudiante 1: ¿A qué museo fuiste?
Estudiante 2: Al museo de arte.
Estudiante 1: ¿Y qué viste allí?
Estudiante 2: Vi unos cuadros de Frida Kahlo.

arte moderno	ciencia
arte clásico	historia
tecnología	aviación
antropología	transporte

MUSEO
Frida Kahlo

LONDRES Nº 247
COL. DEL CARMEN
COYOACAN

ADMISION: N$ 5.00

NFK

El pretérito de los verbos en *-er* e *-ir*

Describing Past Actions

1. You have already learned the preterite forms of regular *-ar* verbs. Study the preterite forms of regular *-er* and *-ir* verbs. Note that they also form the preterite by dropping the infinitive ending and adding the appropriate endings to the stem. The preterite endings of regular *-er* and *-ir* verbs are the same.

INFINITIVE	COMER	VOLVER	VIVIR	SUBIR	ENDINGS
STEM	com-	volv-	viv-	sub-	
yo	comí	volví	viví	subí	-í
tú	comiste	volviste	viviste	subiste	-iste
él, ella, Ud.	comió	volvió	vivió	subió	-ió
nosotros(as)	comimos	volvimos	vivimos	subimos	-imos
vosotros(as)	*comisteis*	*volvisteis*	*vivisteis*	*subisteis*	-isteis
ellos, ellas, Uds.	comieron	volvieron	vivieron	subieron	-ieron

2. The preterite forms of the verbs *dar* and *ver* are the same as those of regular *-er* and *-ir* verbs.

INFINITIVE	VER	DAR
yo	vi	di
tú	viste	diste
él, ella, Ud.	vio	dio
nosotros(as)	vimos	dimos
vosotros(as)	*visteis*	*disteis*
ellos, ellas, Uds.	vieron	dieron

3. Remember that the preterite is used to tell about an event that happened at a specific time in the past.

Ellos salieron anoche.
Ayer no comí en casa. Comí en el restaurante.
¿Viste una película anoche?

Ejercicios

A **¿Para dónde salió ella?** Contesten según el dibujo.

1. ¿Qué perdió?

2. ¿Dónde subió al metro?

3. ¿Dónde comió?

4. ¿Qué le dio al mesero?

B **Los amigos salieron juntos.** Contesten.

1. ¿Salieron los amigos anoche?
2. ¿Vieron una función teatral?
3. ¿Dieron una buena representación los actores?
4. ¿Aplaudieron los espectadores?
5. Después, ¿comieron ellos en el restaurante?
6. ¿Le dieron una propina al mesero?

C **Ayer en la clase de español.** Formen oraciones con *yo*.

1. salir de casa a las ocho
2. subir al segundo piso
3. asistir a clase
4. comprender la lección
5. escribir una carta en español
6. ver una película argentina

D **Yo sé que tú no...** Sigan el modelo.

> **Yo lo vendí.**
> *Pero yo sé que tú no lo vendiste.*

1. Yo lo aprendí.
2. Yo lo comprendí.
3. Yo lo escribí.
4. Yo lo recibí.
5. Yo lo vi.

E **¿Ella salió con él?** Completen con el pretérito.

PABLO: José, ¿___ (conocer) tú a Felipe?

JOSÉ: ¿A Felipe? ¿El muchacho nuevo en la clase de español? Sí, lo ___ (conocer). Es un tipo simpático.

PABLO: Sí, lo es. Sabes que él ___ (salir) anoche con Teresa.

JOSÉ: ¿Teresa ___ (salir) con él?

PABLO: Sí, ellos ___ (comer) en el restaurante Sol y luego ___ (ver) una película en el cine Goya.

JOSÉ: ¿Me estás hablando en serio?

PABLO: Pues, hombre. Sí.

JOSÉ: Pero, ¿cómo sabes que ella ___ (salir) con él?

PABLO: Pues, lo sé porque Carmen y yo ___ (salir) con ellos. Nosotros ___ (comer) con ellos en el restaurante pero no ___ (ver) la película porque ___ (volver) a casa.

JOSÉ: ¿Pero es verdad que Uds. ___ (salir) anoche con Teresa y con ese tío Felipe?

PABLO: Sí, José. Pero, ¿qué te pasa, hombre?

JOSÉ: Creo que me estás tomando el pelo.

PABLO: ¡Ja! ¡Ja! No, hombre. No te estoy tomando el pelo. Te estoy hablando en serio.

JOSÉ: Pero, Pablo, ¿no sabes que Teresa es mi novia?

PABLO: ¿Teresa? ¿Es tu novia? ¡Ay, Dios mío! Creo que yo ___ (meter) la pata.

Los complementos indirectos
le, les

Telling What You Do for Others

1. You have already learned the direct object pronouns *lo, la, los,* and *las.* Now you will learn the indirect object pronouns *le* and *les.* Observe the difference between a direct object and an indirect object in the following sentences.

Juan lanzó la pelota.

Juan le lanzó la pelota a Carmen.

In the above sentences, *la pelota* is the direct object because it is the direct receiver of the action of the verb "threw." Carmen is the indirect object because it indicates "to whom" the ball was thrown.

2. Note the following sentences that have indirect object pronouns.

María *le* dio un regalo *a Juan*. **Juan *le* dio un regalo *a María*.**
María *les* dio un regalo *a sus amigos*. **Juan *les* dio un regalo *a sus amigas*.**

The indirect object pronoun *le* is both masculine and feminine. *Les* is used for both the feminine and masculine plural. *Le* and *les* can also be used with a noun phrase.

María *le* dio un regalo *a Juan*.
Juan *les* dio un regalo *a sus amigas*.
María y Juan *le* dieron un regalo *a su abuela*.

3. Since *le* and *les* can refer to more than one person, they are often clarified as follows:

	a él.		a ellos.
Le hablé	a ella.	Les hablé	a ellas.
	a Ud.		a Uds.

Ejercicios

A **Los complementos.** Indiquen el complemento directo y el indirecto.

1. Carlos recibió la carta.
2. Les vendimos la casa a ellos.
3. Conocimos a Elena ayer.
4. Le hablamos a Tomás.
5. ¿Quién tiene el periódico? Tomás lo tiene.
6. El profesor nos explicó la lección.
7. Ella le dio una propina al mesero.
8. Ellos vieron la película en el cine.

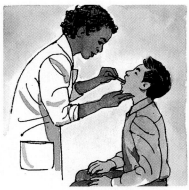

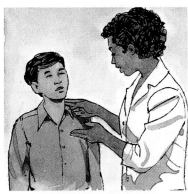

B **¿Le hablaste?** Contesten.

1. ¿Le hablaste a Carlos?
2. ¿Le hablaste por teléfono?
3. ¿Le diste las noticias?
4. ¿Y él les dio las noticias a sus padres?

5. ¿Les escribió a sus padres?
6. ¿Les mandó la carta ayer?
7. ¿Les escribió en inglés o en español?

C **El pobre Carlos.** Contesten según los dibujos.

1. ¿Qué le duele?

2. ¿Qué más le duele?

3. ¿Quién le examina la garganta?

4. ¿Quién le da la diagnosis?

5. ¿Qué le da la médica?

6. ¿Quién le da los medicamentos?

D **En el aeropuerto.** Completen con *le* o *les*.

La señora González llegó al mostrador de la línea aérea en el aeropuerto.

Ella ____ habló al agente. ____ habló en español. No ____ habló en inglés.
₁ ₂ ₃

Ella ____ dio su boleto al agente y él lo miró. Ella ____ dio su pasaporte
₄ ₅

también. El agente ____ dio a la señora su tarjeta de embarque. Abordo del avión
₆

los asistentes de vuelo ____ hablaron a los pasajeros. ____ dieron la bienvenida
₇ ₈

abordo y ____ explicaron el uso del equipo abordo en el caso de una emergencia.
₉

CONVERSACIÓN

Escenas de la vida *Sarita salió anoche*

PABLO: Sarita, ¿saliste anoche?
SARITA: Sí, ¿por qué me preguntas?
PABLO: Pues, te di una llamada y no contestaste.
SARITA: Sí, salí con un grupo de amigos de la escuela.

PABLO: ¿Adónde fueron?
SARITA: Asistimos a un concierto de rock en el Teatro Municipal. Y luego fuimos a comer en un restaurante.

PABLO: ¿A qué hora volviste a casa?
SARITA: Pues, no volví hasta las once y pico.

Una llamada. Contesten.

1. ¿Quién le dio una llamada telefónica a Sarita?
2. ¿Contestó Sarita?
3. ¿Por qué?
4. ¿Con quiénes salió?
5. ¿Adónde fueron?
6. ¿Dónde comieron?
7. ¿A qué hora volvió Sarita a casa?

Pronunciación La *h*, la *y*, la *ll*

The **h** in Spanish is silent. It is never pronounced.

> **h**
>
> **hambre**   **hermano**
> **hijo**   **hotel**

Y in Spanish can be either a vowel or a consonant. As a vowel it is pronounced exactly the same as the vowel **i**.

> **Juan y María**
> **El piano y la guitarra**

Y is a consonant when it begins a word or a syllable. As a consonant, **y** is pronounced similarly to the English **y** in the word *yoyo*. This sound has several variations throughout the Spanish-speaking world.

> **y**
>
> **ya**   **playa**   **playera**
> **uruguayo**   **ayuda**   **desayuno**

The **ll** is considered a single consonant in Spanish and is a separate letter of the alphabet. In many areas of the Spanish-speaking world it is pronounced the same as the **y**. It too has several variations.

la llave

> **ll**
>
> **llama**   **ella**   **taquilla**
> **pantalla**   **lleva**   **llega**
> **calle**   **lluvia**

Repeat the following sentences.

> **La hermana habla hoy con su hermano en el hospital.**
> **Ella llega al hotel en aquella calle.**
> **Ella llega a la taquilla con el billete.**
> **El hombre lleva el desayuno a la playa bajo la lluvia.**

Una llama

Comunicación

A **En Madrid.** Imagine you are in Madrid speaking with a Spanish friend (your partner) who wants to know the following:

1. if you went out last night
2. if you went out alone or with a group
3. if you have a boyfriend or a girlfriend (Use the word *amigo* or *amiga.*)
4. if you saw a movie last night either at the movies or on television
5. at what time you got home

Now you find out the same things from your partner.

B **La última vez.** Find out when was the last time your partner did the following things. Reverse roles.

> ver una película
> Estudiante 1: ¿Cuándo viste una película?
> Estudiante 2: Vi una película anoche.

1. ver una película
2. jugar tenis
3. ir a un concierto
4. tomar el metro
5. cenar en un restaurante
6. dar una fiesta

Guernica, de Pablo Picasso

C **Artistas famosos.** You and your partner each write down the name, nationality, and at least one well known work of each of five famous artists or sculptors whose work you have seen in museums, books, TV, etc. Tell your partner the nationality of the artist and the name of a famous work. Your partner has to guess the artist's name. See who gets the most correct answers with the fewest guesses.

> Picasso / español / *Guernica*
> Estudiante 1: Es español y pintó
>   *Guernica*.
> Estudiante 2: ¿Es Salvador Dalí?
> Estudiante 1: No.
> Estudiante 2: ¿Es Pablo Picasso?

SOLOS O EN GRUPO

*S*arita salió anoche. ¿Con quiénes salió? Salió con un grupo de amigos. Fueron al cine donde vieron una película americana. Las películas americanas son muy populares en España y en Latinoamérica. ¿Comprendió Sarita la película? Sí, la comprendió. Ella la vio en versión original que significa que la vio en inglés, no doblada[1] al español. Pero la vio con subtítulos en español.

En España y en los países latinoamericanos en general, una muchacha joven como Sarita no suele[2] salir con sólo un muchacho. Los jóvenes suelen salir más en grupo. Pero es algo que está cambiando. Hoy los jóvenes están saliendo más y más en parejas[3]. Pero, por lo general, los padres de la joven quieren saber con quién está saliendo su hija. Quieren conocer al muchacho. Pero como aquí,

lo que quieren los padres y lo que pasa no es siempre lo mismo, ¿verdad?

En español no hay una palabra equivalente a "dating" o "date". Tampoco existe una traducción exacta de "boyfriend" o "girlfriend". Un novio o una novia es la persona con quien un individuo está saliendo exclusivamente. Algún día piensan contraer matrimonio. Un novio o una novia es más que un amigo o una amiga.

[1] doblada   *dubbed*
[2] suele   *tends to, is accustomed*
[3] parejas   *couples*

Estudio de palabras

¿Cuál es la definición? Escojan la definición.

1. soler (suele)
2. exclusivamente
3. la pareja
4. pasar
5. joven
6. la traducción
7. el individuo

a. ocurrir
b. la equivalencia en otra lengua
c. dos personas
d. la persona
e. tener la costumbre, acostumbrar
f. que no tiene muchos años
g. únicamente

Comprensión

A **Fue al cine.** Contesten.

1. ¿Con quién salió Sarita anoche?
2. ¿Adónde fue?
3. ¿Qué vio?
4. ¿Vio una película americana o española?
5. ¿La comprendió?
6. ¿Vio la película en la versión original o doblada?

B **¿Sí o no?** Indiquen *sí* o *no*.

1. Aún hoy los jóvenes en España y Latino-américa no pueden salir en parejas.
2. Por lo general, los jóvenes suelen salir con varios compañeros.
3. Los padres de los jóvenes quieren saber con quién están saliendo sus hijos.
4. Un novio es un muchacho con quien sale una joven de vez en cuando.

C **¿Qué es "dating"?** Expliquen.

¿Por qué no existe la palabra "dating" en español?

El pasado 15 de agosto en la elegante residencia del Ing. Juan Carlos Suárez y de su esposa la Dra. María Fernanda Ramírez de Suárez, amigos y familiares celebraron la petición de mano de Rebeca, hija única del matrimonio Suárez, por parte del licencia-do Miguel Angel Barrios, hijo del Dr. Antonio Barrios y su distinguida esposa Emilia Acevedo de Barrios. Todos los concurrentes brindaron por la felicidad de la joven pareja que fijó la fecha de la boda para el 17 de julio del año próximo.

DESCUBRIMIENTO CULTURAL

A los jóvenes en Latinoamérica les interesan mucho las películas. Como ya sabemos las películas americanas son muy populares. Pero en varios países ruedan muchas películas de habla española. La industria cinematográfica es importante en España, México y la Argentina.

¿Hay un género teatral exclusivamente español? Sí, hay. Es la zarzuela. La zarzuela es una obra dramática de asunto ligero[1], no profundo. Es un tipo de opereta porque en una zarzuela los actores y las actrices cantan y hablan.

En los países hispanos hay algunos museos de fama mundial. Uno es el Prado en Madrid. En el Prado hay exposiciones permanentes de los cuadros de Velázquez, el Greco y Goya—tres pintores españoles famosos.

El Museo de Antropología en la Ciudad de México es otro museo famoso. En la planta baja del museo hay exposiciones de artefactos, templos, etc., de las civilizaciones indígenas precolombinas— artefactos de los mayas, los toltecas y los aztecas. En el primer piso hay exposiciones de las culturas indígenas que existen en México en la actualidad.

Es imposible hablar de la cultura mexicana y no hablar de los famosos murales de Diego Rivera, José Clemente Orozco y David Alfaro Siqueiros. Los murales de Rivera son de carácter revolucionario. Él pintó para educar al pueblo. Sus murales tienen como tema la vida, la historia y los problemas sociales mexicanos.

Ya sabemos que los españoles viajaron por las Américas en busca de oro y plata. En Bogotá, Colombia y en Lima, Perú, hay museos de oro. La cantidad de objetos de oro en estos dos museos es increíble.

Museo Nacional de Antropología, México, D.F.

El presidente Benito Juárez, mural de José Clemente Orozco

El ballet folklórico de México es famoso. Los domingos hay una presentación en el Palacio de Bellas Artes en la capital.

Varias ciudades hispanas tienen metro, un sistema de transporte subterráneo. Madrid tiene un sistema de metros. Es bastante viejo. Caracas, la ciudad de México y Santiago de Chile tienen sistemas de metro fantásticos. Las estaciones están muy limpias[2] y los trenes no hacen ruido[3]. Son muy modernos.

Una estación de metro en México, D.F.

Y AQUÍ EN LOS ESTADOS UNIDOS

Hace mucho tiempo que los artistas hispanos tienen gran importancia en Broadway y Hollywood. Nuestras abuelas recuerdan a César Romero, hijo de cubanos y descendiente del héroe José Martí; a Desi Arnaz, otro cubano de múltiples talentos; y al puertorriqueño José Ferrer, gran intérprete de Cyrano.

Los puertorriqueños Raúl Julia y Rita Moreno siguen recibiendo aplausos y premios por su gran talento. Rita Moreno es ganadora del Óscar, del Tony, del Emmy y del Grammy. Rubén Blades, panameño, con un título de Harvard, es músico, actor y político. Andy García y María Conchita Alonso, hijos de cubanos, son grandes estrellas. También son estrellas Edward James Olmos, y Vicki Carr, de ascendencia mexicana.

El teatro puede inspirar y enseñar. El director y productor mexico-americano, Luis Valdez es fundador del Teatro Campesino, que lleva obras de teatro a los barrios latinos de California y el suroeste. Miriam Colón Valle, actriz, directora y productora, es la fundadora y presidenta del Puerto Rican Travelling Theater. Ella y su grupo llevan obras de teatro a las calles del barrio latino de Nueva York.

[1] ligero *light*
[2] limpias *clean*
[3] ruido *noise*

Luis Valdez

Andy García

Rita Moreno

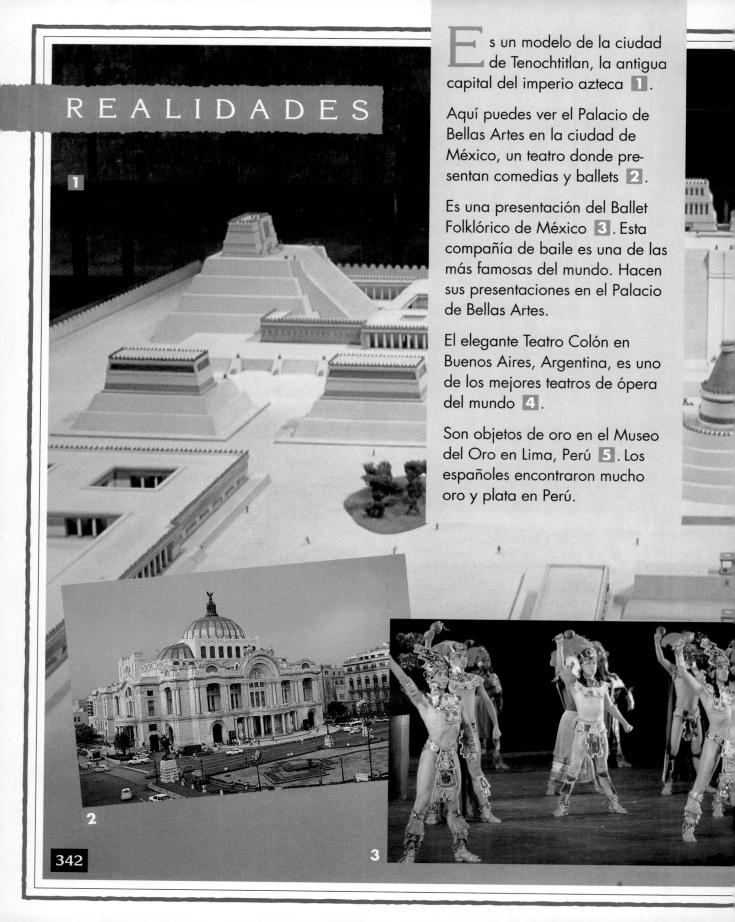

Es un modelo de la ciudad de Tenochtitlan, la antigua capital del imperio azteca **1**.

Aquí puedes ver el Palacio de Bellas Artes en la ciudad de México, un teatro donde presentan comedias y ballets **2**.

Es una presentación del Ballet Folklórico de México **3**. Esta compañía de baile es una de las más famosas del mundo. Hacen sus presentaciones en el Palacio de Bellas Artes.

El elegante Teatro Colón en Buenos Aires, Argentina, es uno de los mejores teatros de ópera del mundo **4**.

Son objetos de oro en el Museo del Oro en Lima, Perú **5**. Los españoles encontraron mucho oro y plata en Perú.

Comunicación oral

A **Los novios.** Work in groups of four. In your group find out: how many have a *novio(a)*; if they do, do they go out with anyone else; do their parents know or want to meet their *novio(a)*.

B **¿Quién es más culto?** You and your partner each prepare a list of favorite activities. Compare your lists and rate the activities as cultural or non-cultural. Decide who is the more "cultured" type.

C **¿Qué hiciste?** Using the cues provided, tell your partner when you usually do the following things, but that yesterday you did something different. Reverse roles.

> **comer a las ____**
> *Suelo comer a las doce, pero ayer comí a las dos.*

1. comer a las ____
2. beber ____
3. salir para la escuela a las ____
4. llegar a casa a las ____
5. ver ____ a las ocho
6. hablar por teléfono con ____

Comunicación escrita

A **Anoche conocí a...** Make an entry in your diary about a special person you met (*conocer*) last night at a concert. Tell what time you arrived at the concert and exactly where and when you saw the person. Tell the person's age and what school he or she attends. Write down that you gave the person your phone number, and that the person gave you his or hers.

B **Una carta.** Your friend Lupita Delgado lives in Santiago de Chile. She has written to you asking what "dating" means. Write to her explaining the meaning of "dating," and of "boyfriend" and "girlfriend" in the United States.

C **El fin de semana pasado.** Make a list of five things that you did last weekend. Share your list with your partner. Did you do any of the same things? If so, write them down.

D **Tiene que ser...** Write a short paragraph describing an ideal boyfriend or girlfriend. Exchange papers with your partner and correct any errors. Discuss the corrections with each other, rewrite the paragraphs and read them to the class.

Reintegración

A El año pasado. Contesten.

1. ¿Esquiaste el invierno pasado?
2. ¿Nadaste el verano pasado?
3. ¿Esquiaste en el agua?
4. ¿Patinaste?
5. ¿Adónde fuiste?
6. ¿Con quién fuiste?
7. ¿Lo pasaron Uds. bien?
8. ¿Jugaste al tenis?

B ¿Qué deporte es? Identifiquen.

1. El jugador tiró o lanzó el balón con el pie.
2. La pelota pasó por encima de la red.
3. Él tiró el balón y encestó.
4. Marcó un gol.
5. La pelota entró en el hoyo.
6. Es necesario tener una raqueta.
7. Es necesario jugar con palos.
8. Ella bateó un jonrón.

Vocabulario

SUSTANTIVOS

el cine
la película
el film(e)
la pantalla
el teatro
la escena
el telón
el actor
la actriz
el/la autor(a)
la obra
la representación
el espectáculo
la taquilla
la sesión
la cola
la fila
la entrada
la localidad
la butaca

el museo
el arte
la exposición
el/la artista
el/la escultor(a)
el cuadro
el mural

la estatua
el concierto
el/la músico(a)
la orquesta
el/la director(a)

el restaurante
el/la mesero(a)
la mesa
el menú
la cuenta
la propina

el transporte
el metro
la estación

ADJETIVOS

público(a)
artístico(a)
musical
teatral
subterráneo(a)

VERBOS

parar
dejar
asistir
aplaudir

OTRAS PALABRAS Y EXPRESIONES

perder el autobús
entrar en escena
dar (presentar) una película

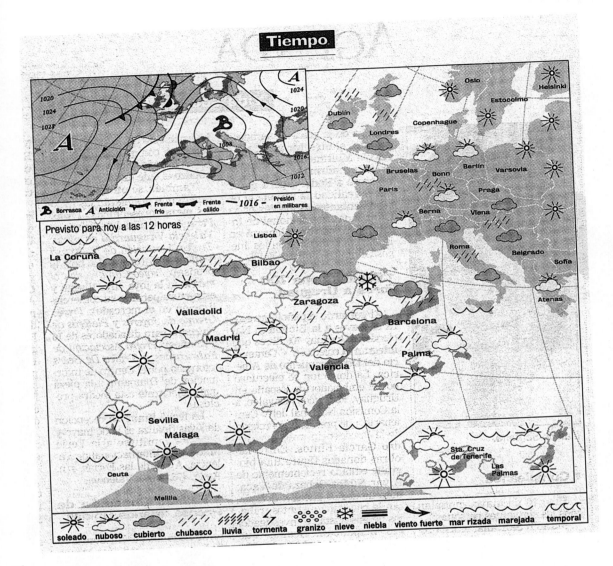

The weather map comes from a Spanish newspaper. The legend beneath the
map shows the symbols for the different phenomena. Study the map and try to
answer the questions.

A El tiempo. Contesten.

1. For what time of day is the weather being predicted?
2. What is the weather like in Barcelona?
3. Name three areas where it will be sunny today.
4. Where will it be partially cloudy?

B **¿Qué quiere decir?** Digan en español.

1. rain showers
2. storm
3. hail
4. snow
5. partly cloudy
6. sunny
7. rain
8. choppy seas
9. Stockholm
10. Athens
11. Warsaw
12. London

C **El cuadro.** Contesten.

1. In the lower right hand corner of the chart there is a box. What is represented in the box?
2. In similar U. S. weather maps, what are represented in boxes like that?

DICIEMBRE – ENERO Nº 17, Santiago

TRAVELING

El sol brilla en el hemisferio sur. Es época de vacaciones. Playas, lagos, campos y ciudades se ven diferentes. Todo lo entretenido está al aire libre. En Santiago, el teatro y la música invaden los parques, y siempre existe la posibilidad de arrancarse, aunque sea por el día, a las playas del litoral central o a los hermosos lagos de los alrededores. Le invitamos a celebrar con nosotros, bajo el sol del verano, un buen año que termina y deseamos de corazón que el próximo año sea el mejor de su vida.

This is an excerpt from a guide for tourists published in Santiago, Chile.

D **¿Dónde dice?** Busquen dónde en el artículo dice lo siguiente:

1. where the sun shines
2. what time of the year it is
3. what it is that "invades" the parks of Santiago
4. where you can get away to "if only for a day"
5. what is ending, what is beginning, and what will be celebrated
6. what "seems different"

E **¿Qué quiere decir?** Contesten.

The article says that four things look "different" at this time of the year. What are they?

F **¡Piensen!** Contesten.

There seems to be something incongruous about the weather and the activities described, and the months of the year. Why? Explain.

CAPÍTULOS 9–12

Lectura   *Fuimos al teatro*

*A*yer mis hermanos y yo tomamos el metro y fuimos al teatro. Vimos una comedia excelente. El autor de la comedia es de Francia. La dieron en el Teatro Guerrero. Ese teatro es viejo pero elegante. Está en la Avenida Central. Yo sé que los actores principales son famosos, pero no los conozco. El público les dio una gran ovación al final. Cuando salimos del teatro empezó a nevar y decidimos tomar un taxi para regresar a casa.

En el teatro.   Escojan.

1. La familia fue al teatro ___.
   a. a pie   **b.** en metro   **c.** en taxi
2. Ellos vieron ___.
   a. una película   **b.** un drama   **c.** una comedia
3. El autor es ___.
   a. español   **b.** francés   **c.** norteamericano
4. Guerrero es el nombre del ___.
   a. teatro   **b.** autor   **c.** actor
5. El teatro tiene muchos ___.
   a. años   **b.** actores   **c.** pisos
6. La joven no conoce ___.
   a. el teatro   **b.** al autor   **c.** a los actores

Estructura

Saber y *conocer*

1. Both *saber* and *conocer* mean "to know." *Saber* is used for expressing knowledge of simple facts.

   Yo sé la palabra.

2. *Conocer* means "to know" in the sense of "to be acquainted with." It is also used to express knowledge of abstract or complex issues or topics.

   Conozco al senador. Conocemos la ciudad.
   Ella conoce la historia de México.

Teatro María Guerrero

CENTRO DRAMÁTICO NACIONAL

COMBATE
de negro y de perros

de BERNARD-MARIE KOLTÈS

Traducción: SERGI BELBEL
Dirección: MIGUEL NARROS

Escenografía y vestuario:
CHRISTOPH SCHUBIGER   KATRIN FURLER

Por orden de intervención:
ALAIN LUKUSA   SANCHO GRACIA
PILAR BAYONA   ANTONIO VALERO

Review the present tense forms of *saber* and *conocer*.

INFINITIVE	SABER	CONOCER
yo	sé	conozco
tú	sabes	conoces
él, ella, Ud.	sabe	conoce
nosotros(as)	sabemos	conocemos
vosotros(as)	*sabéis*	*conocéis*
ellos, ellas, Uds.	saben	conocen

A **¿Qué sabes?** Completen con *saber* o *conocer*.

Yo no ___ dónde vive Luis Tovar. Tú ___ a Luis,
         1   2
¿verdad? Pero, ¿tú ___ dónde él vive? Quiero hablar
              3
con Luis, porque él ___ esquiar muy bien, y quiero
                    4
aprender. También quiero ___ a su hermana Sonia.
                          5
Sonia ___ a mi hermana, pero no me ___. Ella no
      6   7
___ que yo soy amigo de Luis.
 8

Ser y *estar*

1. *Ser* is used to denote origin.

> **Paco es de México. Los libros son de Chile. Soy de Puerto Rico.**

2. *Estar* is used to denote location.

> **Ellos están en la playa. El periódico está en la mesa.**

3. *Ser* is used to describe characteristics of a person or thing that are relatively permanent.

> **La ciudad es grande. Somos altos. Ella es inteligente.**

4. *Estar* is used to describe conditions that are temporary or liable to change.

> **Estoy cansada. El día está oscuro. La comida está fría.**

B **¿Dónde está?** Completen con la forma apropiada de *ser* o *estar*.

1. La Sra. Fernández ___ muy inteligente.
2. Ella ___ de Honduras.
3. Ella ___ en Texas ahora.
4. Ella ___ profesora de español.
5. Hoy ella no ___ bien. Tiene fiebre.
6. Por eso ___ en casa.
7. Su casa ___ en la ciudad y ___ muy bonita.

Los pronombres de complemento directo

1. The object pronouns *me, te,* and *nos* can function as either direct or indirect object pronouns. Note that the object pronouns in Spanish precede the conjugated verb.

> **Juan *me* vio.**   **Juan *me* dio el libro.**

2. *Lo, los, la,* and *las* function as direct object pronouns only. They can replace persons or things.

> **Pablo compró *el boleto*.**   **Pablo *lo* compró.**
> **Pablo compró *los boletos*.**   **Pablo *los* compró.**
> **Elena compró *la raqueta*.**   **Elena *la* compró.**
> **Elena compró *las raquetas*.**   **Elena *las* compró.**
> **Yo vi *a los muchachos*.**   **Yo *los* vi.**

3. *Le* and *les* function as indirect object pronouns only.

> **Yo *le* escribí una carta (a él, a ella, a Ud.).**
> **Yo *les* escribí una carta (a ellos, a ellas, a Uds.).**

C **¿Qué llevas?** Cambien los sustantivos.

1. Llevo *los esquís* a la cancha.
2. También llevo *las botas*.
3. Compro *el boleto* en la taquilla.
4. Veo *a mi hermana* en el telesquí.
5. Doy el boleto *a mi hermana*.
6. Ella da sus esquís *a los muchachos*.

El pretérito de los verbos regulares

Review the preterite tense forms of regular verbs. The preterite is used to express an action completed in the past.

estudiar	yo estudié, tú estudiaste, él/ella/Ud. estudió, nosotros(as) estudiamos, *vosotros(as) estudiasteis*, ellos/ellas/Uds. estudiaron
comer	yo comí, tú comiste, él/ella/Ud. comió, nosotros(as) comimos, *vosotros(as) comisteis*, ellos/ellas/Uds. comieron
escribir	yo escribí, tú escribiste, él/ella/Ud. escribió, nosotros(as) escribimos, *vosotros(as) escribisteis*, ellos/ellas/Uds. escribieron

D **Esta mañana.** Completen.

Esta mañana yo ___ (tomar) el desayuno a las siete. Después mi hermana y
yo ___ (salir) de casa. Ella ___ (subir) al bus para ir a la escuela, pero yo ___
   2   3   4
(decidir) ir a pie. Nosotros no ___ (llegar) a la misma hora. En la escuela
                                  5
algunos estudiantes ___ (estudiar) y ___ (aprender) un poco de historia.
                     6   7
Yo ___ (leer) un libro. Mi hermana ___ (escribir) unas lecciones. A las tres
    8   9
yo ___ (meter) mis libros y cuadernos en la mochila, y nosotros ___ (volver)
    10   11
a casa.

El pretérito de *ir* y *ser*

The preterite tense forms of *ser* and *ir* are identical. Review them.

> **ser**   yo fui, tú fuiste, él/ella/Ud. fue, nosotros fuimos,
>   *vosotros fuisteis*, ellos/ellas/Uds. fueron
>
> **ir**   yo fui, tú fuiste, él/ella/Ud. fue, nosotros fuimos,
>   *vosotros fuisteis*, ellos/ellas/Uds. fueron

E **Fuimos al cine.** Completen.

1. El sábado pasado nosotros ___
   al cine.
2. Las películas no ___ muy buenas.
3. Yo ___ a la taquilla por mi dinero.

4. El taquillero no ___ muy simpático.
5. Entonces Adela ___ a hablar con el dueño del cine.
6. Y tú, ¿adónde ___ el sábado pasado?

Comunicación

Los deportes. Tell a student from
Latin America what sports you participated
in last summer and last winter, how well
you played them, and which was your
favorite and why. Reverse roles.

MATEMÁTICAS: EL SISTEMA MÉTRICO

Antes de leer

The metric system is used in most of the world for measuring length, mass, and volume; meters, liters, and grams. The English system of measures, traditionally used in Great Britain and the U.S., consists of feet, miles, pounds, and ounces.

1. Review the English names for the major units of measure for length in the metric system.
2. Review the metric equivalents of inches, yards, miles, pounds, and ounces.

Lectura

En la mayoría de los países del mundo se usa el sistema métrico decimal. El sistema métrico decimal emplea las siguientes unidades básicas. Para medir la longitud, el metro; para el peso, el kilogramo; y para los líquidos, el litro.

Longitud: El metro se puede usar para medir la longitud, la anchura[1] y la altura. El metro original se determina en 1796 dividiendo en diez millones de partes iguales la longitud para el cuadrante de

meridiano que va desde Dunkerque en Francia hasta Barcelona en España, pasando por París. En París, en el Museo de Artes y Oficios, conservan la barra de platino[2] que mide[3] el metro original. El metro moderno (1983) es igual a la distancia que viaja la luz en un vacío[4] en 1/299.792.459 de un segundo.

El sistema tradicional inglés se basa en la pulgada[5] y el pie. La tradición dice que el "pie" original es el pie de un rey de Inglaterra. Es obvio que todos no tenemos los pies iguales.

Las medidas tradicionales para peso en los EE. UU. son la onza, la libra y la tonelada. Las medidas para líquidos son la onza, la pinta, el cuarto y el galón. Uds. saben que hay 16 onzas en una libra, y 2.000 libras en una tonelada. En el sistema métrico decimal las medidas de peso se basan en el kilogramo (kg). Un kilogramo es igual a 2.2 libras. Es decir, una libra es un poco menos que medio kilogramo. Las medidas para líquidos se basan en el litro (L). Una botella de vino contiene 750 mililitros o 75 centilitros. Una lata de refresco contiene 354 mililitros. Un litro contiene un poco más que un cuarto; un litro es equivalente a 1,0567 cuarto. Un cuentagotas[6] contiene aproximadamente un mililitro.

Para medir cantidades o distancias inferiores o superiores al kilogramo, litro o metro se usan unidades que se forman con los siguientes prefijos:

kilo × 1000	kilogramo = 1000 gramos
hecta × 100	hectámetro = 100 metros
deca × 10	decalitro = 10 litros
deci: 10	decilitro = 1/10 litro
centi:100	centímetro = 1/100 metro
mili: 1000	miligramo = 1/1000 gramo

Podemos convertir las unidades de un sistema a otro.

SISTEMA MÉTRICO DECIMAL		SISTEMA INGLÉS
1 m	=	39,37 pulgadas (1,094 yardas)
1 km	=	0,621 millas
1 litro	=	1,0567 cuartos

[1] anchura *width*
[2] platino platinum
[3] mide measures
[4] vacío vacuum
[5] pulgada *inch*
[6] cuentagotas *eyedropper*

Después de leer

A **El sistema métrico.** Contesten.

1. ¿Qué podemos medir con el sistema métrico decimal?
2. ¿Qué es lo que dividen para determinar el metro original?
3. ¿En cuántas partes la dividen?
4. ¿Cuáles son las unidades básicas del sistema métrico decimal?
5. ¿En qué se basa el sistema inglés para medir la longitud?
6. ¿Quién es más grande, una persona que pesa 200 libras o 100 kilos?
7. ¿Cuántas onzas son 354 mililitros?
8. ¿Cuál contiene menos líquido, un cuarto o un litro?
9. ¿Más o menos cuántos litros hay en un galón?

B **Las medidas.** ¿Dónde dice lo siguiente?

1. how the original meter was determined
2. what the most common metric units are
3. the length of the modern meter
4. on what the English system is based
5. the contents of an eyedropper

C **Seguimiento.** Den la respuesta en unidades métricas.

1. ¿Cuál es la distancia entre la escuela y tu casa?
2. ¿Cuál es tu altura?
3. ¿Cuál es el largo de un campo de fútbol americano?
4. ¿Cuánto mide un jugador profesional de baloncesto?
5. ¿Cuánto pesa un jugador profesional de fútbol americano?

CIENCIAS NATURALES: LA BIOLOGÍA

Antes de leer

All living things, both plants and animals, need nutrients of one sort or another to maintain life. You probably already know something about the "food chain." Review the steps in the food chain prior to reading the following selection.

Lectura

Un gaucho argentino

Los humanos comemos para vivir. Nada puede vivir sin alguna forma de alimentación[1]. Las plantas producen su propia alimentación con la ayuda de la energía del sol. La cadena[2] alimentaria comienza con una planta verde. Las plantas verdes son los únicos *productores*, y forman la materia orgánica. Los humanos, los animales y todos los otros seres vivos son consumidores. Los consumidores se dividen en dos grupos: los consumidores primarios y los consumidores secundarios. Los consumidores primarios comen las plantas verdes. No comen carne. Los animales herbívoros se alimentan exclusivamente de plantas. Los consumidores secundarios comen los animales herbívoros. Son animales carnívoros o depredadores. Algunos consumidores secundarios comen plantas y animales. Ellos son omnívoros. Los humanos, ¿somos herbívoros u omnívoros? Y tú, ¿eres consumidor primario o secundario? ¿Qué son los vegetarianos?

[1] alimentación *food*
[2] cadena *chain*

Las pampas argentinas

Puente romano, Córdoba, España

Después de leer

A **¿Consumidores o productores?** Escojan.

1. Los únicos productores son ___.
   a. los humanos   **b.** las plantas
2. Los elefantes son consumidores ___.
   a. primarios   **b.** secundarios
3. Los depredadores son consumidores ___.
   a. primarios   **b.** secundarios
4. Los animales herbívoros son consumidores ___.
   a. primarios   **b.** secundarios
5. Los depredadores están al ___ de la cadena alimentaria.
   a. comienzo   **b.** final

B **La clasificación.** Clasifiquen los siguientes organismos.

PRODUCTORES
CONSUMIDORES PRIMARIOS
CONSUMIDORES SECUNDARIOS

perros	flores	gatos
plantas	humanos	papas
bacterias	amebas	elefantes
tigres	burros	

C **Seguimiento.** Preparen tres cadenas alimentarias lógicas.

grano > ratón > gato

CIENCIAS SOCIALES: ANTROPOLOGÍA E HISTORIA

Antes de leer

Hiram Bingham found the "lost Inca city" of Machu Picchu in 1911. Locate the area inhabited by the Incas and briefly review their history.

Lectura

Los primeros incas viven alrededor del lago Titicaca mucho antes de llegar los españoles. De allí van al norte, al Valle del Cuzco. Allí fundan la ciudad del Cuzco que más tarde es el centro de su imperio. El jefe de los incas se llama el Inca—el jefe o señor. La leyenda dice que el imperio comienza con Manco Capac y su hermana Mama Ocllo durante el siglo XIII. Durante su época más importante, los incas ocupan el Ecuador, Perú, Bolivia y el norte de Chile y la Argentina, un territorio de más de un millón de km^2 con más de 12 millones de personas. La economía se basa en la agricultura. Cultivan maíz[1], papas y otras plantas, y crían[2] llamas, alpacas y vicuñas. La leyenda dice que el Inca desciende del Sol. Su imperio se

Una calle en Cuzco, Perú

Vista panorámica de Cuzco

Alpacas

divide en cuatro *suyos*. Los suyos se dividen en *provincias*, las provincias en *distritos* y cada distrito en varios *ayllúes*. Cada ayllú se forma de un grupo de familias que son parientes. Los incas construyen templos, puentes[3], carreteras y acueductos. La ciudad de Machu Picchu es un magnífico ejemplo de construcción incaica. La lengua de los incas es el *quechua*.

[1] maíz *corn*   [3] puentes *bridges*
[2] crían *raise*

La ciudad de Machu Picchu, Perú

Después de leer

A **Los incas.** Contesten.

1. ¿Cuál es el territorio del imperio inca?
2. ¿Dónde viven los incas al principio?
3. ¿Qué animales crían, y qué plantas cultivan?
4. ¿Por qué son importantes Manco Capac y Mama Ocllo?
5. ¿Cuántos habitantes tiene el imperio inca?

B **Un gran imperio.** ¿Dónde dice lo siguiente?

1. what the Incas built
2. from whom or what their leader descended
3. where they went when they left their original home

C **Seguimiento.** Describan, en español, la organización política del imperio inca.

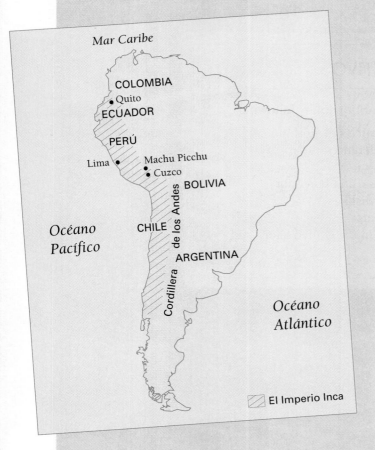

Mar Caribe

COLOMBIA
• Quito
ECUADOR

PERÚ

Lima •   Machu Picchu
        • Cuzco
            BOLIVIA

Océano
Pacífico
        CHILE

        ARGENTINA

Cordillera de los Andes

Océano
Atlántico

▨ El Imperio Inca

CAPÍTULO

13

LA ROPA Y
LA MODA

OBJETIVOS

In this chapter you will learn to do the following:

1. identify and describe articles of clothing
2. state color and size preferences
3. shop for clothing
4. express interest, surprise, and boredom
5. express your likes and dislikes
6. make negative statements
7. compare teen fashions in the United States and the Hispanic World

PALABRAS 1

DE COMPRAS

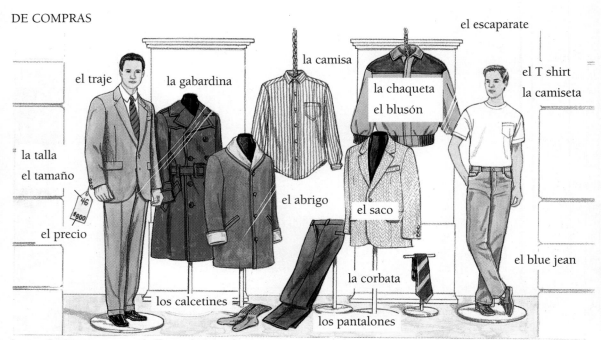

el escaparate

el traje

la gabardina

la camisa

la chaqueta
el blusón

el T shirt
la camiseta

la talla
el tamaño

el abrigo

el saco

el precio

la corbata

el blue jean

los calcetines

los pantalones

la tienda de ropa para caballeros (señores)

la vitrina

el sombrero

el cinturón

la blusa

el suéter
el jersey

las medias

el vestido

la falda

la tienda de ropa para damas (señoras)

las sandalias

los tenis

los zapatos

la caja

el dependiente   la dependiente

el mostrador

el cliente

Juan va de compras.
Habla con el dependiente en la tienda de ropa.

¿Te gustan estos zapatos?
¿Te sientan bien?
¿Cómo te sientan?

Sí, me gustan y me sientan bien.

Los zapatos no cuestan mucho.
No son caros.
Son baratos.
¿Cuánto cuestan?
Cuestan 1.000 pesos.
Juan paga en la caja.
Paga con una tarjeta de crédito.

el número

Pero a José no le interesa nada.
Nunca le gusta nada.

Ejercicios

A **Está comprando zapatos.** Contesten según se indica.

1. ¿Quién trabaja en la tienda? (el dependiente)
2. ¿Dónde están los zapatos? (en el escaparate)
3. ¿Qué compra el cliente? (un par de zapatos)
4. ¿Cuál es su número? (43)
5. ¿Cuál es el precio de los zapatos? (600 pesos)
6. ¿Cuánto cuestan? (600 pesos)
7. ¿Son demasiado caros? (no)
8. ¿Cómo son? (bastante baratos)
9. ¿Qué más quiere el señor? (una camisa)
10. ¿Cuál es su talla? (38)
11. ¿Quiere algo más? (No, nada)
12. ¿Dónde paga el cliente? (en la caja)

B **En la tienda de ropa para caballeros.** Contesten según la foto.

¿Qué venden en la tienda de ropa para señores?

1.

2.

3.

4.

5.

6.

C En la tienda de ropa para señoras. Contesten según la foto.

¿Qué venden en la tienda de ropa para señoras?

1.

2.

3.

4.

5.

6.

D ¿Qué estilo es? Escojan. Escriban en otro papel.

	FORMAL	DEPORTIVO
1. los tenis		
2. la corbata		
3. el jersey		
4. el saco, la chaqueta		
5. el vestido		
6. las sandalias		
7. el T shirt		
8. el blue jean		

E Sí, me sienta(n) bien. Contesten.

1. Los zapatos que llevas, ¿te sientan bien?
2. La camisa o la blusa que llevas, ¿cómo te sienta?
3. El blue jean que compraste ayer, ¿te sienta bien?
4. El blusón que compraste, ¿te sienta bien o no?
5. Los tenis que compraste, ¿cómo te sientan?

PALABRAS 2

LA ROPA Y LOS COLORES

la manga corta

la manga larga

el tacón alto

el tacón bajo

estrecho

pequeño

ancho

grande

el botón

el zíper

la cremallera

una blusa a rayas

un saco a cuadros

Estos zapatos no me sientan bien.
Son demasiado estrechos.
Me aprietan.

Los colores

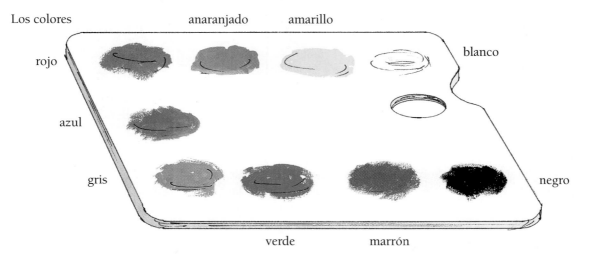

Nota: There are many nouns in Spanish that are used to describe a color. They are the names of fruits, gems, etc. Some of these words are: *crema, vino, café, oliva, marrón,* and *turquesa.* These words do not agree with the noun they accompany because they are not adjectives. They don't change form. For example, *zapatos color café,* or simply, *zapatos café.*

A **¿Cómo es?** Contesten según el dibujo.

1. ¿Esta camisa tiene mangas largas o mangas cortas?

2. ¿Esta blusa tiene mangas largas o cortas?

3. ¿Estos zapatos tienen tacón alto o bajo?

4. ¿Esta falda es larga o corta?

5. ¿Este saco es a rayas o a cuadros?

6. ¿Este blusón tiene botones o cremallera?

B **Juan quiere esta camisa.** Contesten.

1. ¿Juan quiere comprar la camisa?
2. ¿Le gusta?
3. ¿Le queda bien?
4. ¿De qué color es?
5. ¿Tiene mangas largas o cortas?
6. ¿Hace juego con la corbata?

C **Mi color favorito.** ¿Cuál es su color favorito para cada prenda?

1. una camisa
2. un traje
3. un vestido
4. zapatos
5. un abrigo
6. una gabardina

GRATIS
ADELANTATE
A LA MODA
OTOÑO-INVIERNO
CON VENCA

Comunicación
Palabras 1 y 2

A Mis prendas favoritas. You and your partner have to buy clothes for four people you know. Take turns describing what you will buy for each person.

B ¿Qué me pongo? With a partner prepare a list of articles of clothing. For each article indicate the season during which you would wear it and whether it is formal or informal.

C ¿Qué ropa llevo? You and your partner are going to San Juan, Puerto Rico for a few days. You plan to go out one evening to a fancy restaurant and salsa club. You will also go to the beach and do a little sight-seeing. List all the clothes you're going to take. Compare your list with your partner's list and tell each other if you think each item is necessary and appropriate.

D Sí, señor(a). You are working this summer in a local clothing store. A South American millionaire (your partner) comes in to get a completely new wardrobe. Find out what the customer wants and sell as much as you can.

Verbos como *interesar* y *aburrir*

How to Express Interest and Boredom

Interesar "to interest," *aburrir* "to bore," *sorprender* "to surprise," *enojar*, *enfadar* "to annoy," and *molestar* "to bother" function the same in Spanish as in English. They are always used with an indirect object.

Aquel libro me interesa. *That book interests me.*
Aquellos libros me interesan. *Those books interest me.*
A Juan le aburre la historia. *History bores John.*
A Juan le aburren las ciencias. *The sciences bore John.*
Me sorprendió la noticia. *The news surprised me.*
Me sorprendieron sus reacciones. *Their reactions surprised me.*
Nuestra reacción les molestó. *Our reaction bothered them.*

Ejercicios

A **¿Te interesa o te aburre?** Sigan el modelo.

> la biología
> *La biología me interesa. No me aburre.*

1. el álgebra
2. la geometría
3. la historia
4. el español
5. la geografía

B **¿Te interesan o te aburren?** Sigan el modelo.

> Las películas policíacas
> *Las películas policíacas me aburren. No me interesan.*

1. las ciencias
2. las matemáticas
3. las lenguas
4. las ciencias sociales
5. las ciencias naturales

Para Los Amantes Del Cine, Univisión Presenta "La Super Película."

C **¿Te enoja o no?** ¿Quién te enoja?

1. ¿El profesor?
2. ¿Mamá?
3. ¿Tu hermano?
4. ¿Papá?
5. ¿Tu hermana?
6. ¿Tus hermanos?
7. ¿Tus amigos?

D **En la tienda de ropa.** Contesten.

1. ¿A Roberto le interesa la camisa?
2. ¿Le sienta bien la camisa?
3. ¿Le sorprende el precio?
4. ¿A Roberto le interesan los zapatos también?
5. ¿Le sientan bien?
6. ¿Le aprietan?

El verbo *gustar*   *Expressing Likes and Dislikes*

1. The verb *gustar* is used in Spanish to convey the meaning "to like." Its literal meaning is "to be pleasing to." It takes an indirect object the same as verbs like *interesar, sorprender,* etc. Note the following sentences.

> **¿Te gusta esta camisa?**
> **Sí, me gusta mucho.**
> **Y me gustan estas corbatas también.**
> **¿A Juan le gusta el estilo formal o informal?**
> **Le gusta el "look" informal.**
> **Le gustan mucho los blue jeans.**
> **A mis amigos les gusta el blue jean con un suéter.**

2. The verb *gustar* is used with an infinitive to tell what you like to do.

> **Me gusta esquiar.**
> **¿Te gusta comer?**
> **A los alumnos no les gusta estudiar.**

> *Me gusta más* means "I prefer."

> **Me gusta más esa camisa que la otra.**

3. *Encantar* "to love" (inanimate things), is used the same as *gustar.*

> **¿Te gusta esta camisa? Ah, sí. Me encanta.**

Ejercicios

A **¿Te gusta o no te gusta?** Sigan el modelo.

> **la historia**
> *Me gusta mucho la historia. (No me gusta la historia.)*
> *Me interesa. (Me aburre.)*

1. la música
2. el arte
3. el ballet
4. la ópera
5. el cine

B **¿Te gustan o no?** Preparen una mini-conversación según el modelo.

> **las ciencias**
> **Estudiante 1: Rodolfo, ¿te gustan las ciencias?**
> **Estudiante 2: Sí, me gustan las ciencias. (No, no me gustan.)**

1. las ciencias
2. las lenguas extranjeras
3. las matemáticas
4. las bellas artes
5. los deportes

C **Sí, le gusta.** Contesten según el modelo.

> **¿Juan va a comprar estos zapatos?**
> *Sí, le gustan mucho.*

1. ¿María va a comprar estas sandalias?
2. ¿Juan va a comprar este bañador?
3. ¿María va a comprar este blue jean?
4. ¿Juan va a comprar esta gabardina?
5. ¿María va a comprar estos tenis?

D **A tus amigos, ¿qué les gusta hacer?** Contesten según el dibujo.

1.

2.

3.

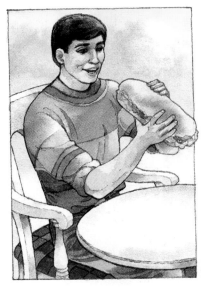

4.

5.

E **Me gusta comer.** Digan todo lo que les gusta hacer.

F **Me gusta la música rock.** Digan lo que les gusta.

Las palabras negativas y afirmativas

Expressing Affirmative and Negative Ideas

1. The words *nada, nunca,* and *nadie* are negative words. Note how they are used.

AFIRMATIVAS	NEGATIVAS
Él tiene algo en la mano.	Él no tiene nada en la mano.
Ella siempre esquía.	Ella nunca esquía.
Ella ve a alguien.	Ella no ve a nadie.
Él también estudia alemán.	Él tampoco estudia alemán.

Alguien and *nadie* always refer to people. Therefore, you usually use the personal *a* when they are the direct object of the verb.

2. Unlike English, in Spanish you can use more than one negative word in the same sentence.

Nunca hablo francés con nadie.
No compro nada nunca.
Yo no quiero nada tampoco.

3. *También* is used to confirm an affirmative statement.

Siempre estudio después de las clases. Y yo también.

Tampoco is used to confirm or agree with a negative statement.

No estudié para el examen de química. Ni yo tampoco
or **Yo tampoco.**

Ejercicios

A **¿Nada, nunca o nadie?** Contesten con *no*.

1. ¿Hay algo en la mochila?
2. ¿Tienes algo en la mano?
3. ¿Ves a alguien en la sala?
4. ¿Hay alguien en la cocina?
5. ¿Siempre cantas con tus amigos?
6. ¿Siempre lees algo?
7. ¿Siempre le escribes a tu abuelita?

B **¿Y tú?** Indiquen si están de acuerdo.

> **Yo no compro en esa tienda.**
> *Yo tampoco.*

1. Yo siempre prefiero ir en avión.
2. Yo juego mucho al fútbol.
3. Yo no canto mucho.
4. Yo no conozco a Juan.
5. Yo estudio mucho.
6. Yo nunca toco la guitarra.

Nunca es demasiado lejos.

CAMPER

Escenas de la vida   *En la tienda de ropa para señores*

DEPENDIENTE: Sí, señor.
CLIENTE: Quisiera una camisa, por favor.
DEPENDIENTE: Su talla, por favor.
CLIENTE: Cuarenta y dos.

DEPENDIENTE: ¿Qué color le gusta?
CLIENTE: Blanco.
DEPENDIENTE: De acuerdo. ¿Le gustan más las mangas largas o cortas?
CLIENTE: Largas, por favor.
DEPENDIENTE: ¿Qué tal le gusta esta camisa a rayas?

CLIENTE: Mucho. ¿Cuánto es?
DEPENDIENTE: Ocho mil pesos.
CLIENTE: Ocho mil. Me sorprende. No es muy cara.

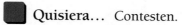 **Quisiera…**   Contesten.

1. ¿Con quién está hablando el cliente?
2. ¿Dónde está?
3. ¿Qué quiere?
4. ¿Cuál es su talla?
5. ¿Qué color quiere?
6. ¿Quiere mangas largas o cortas?
7. ¿Qué tal le gusta la camisa a rayas?
8. ¿Cuánto es la camisa?
9. ¿Le sorprende el precio al cliente?
10. ¿Por qué le sorprende?

Pronunciación *Las consonantes ñ y ch*

The **ñ** is a separate letter of the Spanish alphabet. The mark over it is called a *tilde*. Note that it is pronounced similarly to the **ny** in the English word *canyon*. Repeat the following.

ñ

señora	señor	pequeño	montaña
año	otoño	España	cumpleaños

una chaqueta
color chocolate

Ch is also considered a separate letter of the Spanish alphabet. It is pronounced much like the **ch** in the English word *church*. Repeat the following.

ch

chaqueta	estrecho	ancho
chocolate	muchacho	chileno

Repeat the following sentences.

El señor español sube las montañas cada año en el otoño.
El muchacho chileno lleva una chaqueta ancha color chocolate.

Comunicación

A **En la tienda.** You are in the clothing department of Galerías Preciados, a large Madrid department store. A classmate will play the salesperson.

1. Describe the things you want.
2. Tell the clerk your size.
3. Try on each item and tell the clerk how it fits.
4. Find out the price and if you can pay with a credit card.

B **No me sienta bien.** You are the salesperson and your partner is the customer, inside the dressing room. Ask your partner if he or she likes each item and how it fits. Your partner likes them all, but none fits quite right.

pantalones
Estudiante 1: ¿Le gustan los pantalones?
Estudiante 2: Sí, me gustan.
Estudiante 1: ¿Cómo le quedan?
Estudiante 2: Son un poco grandes.

zapatos	camiseta	chaqueta	tenis
blue jean	camisa	sandalias	pantalones

C **¿Y qué compraste?** A Mexican exchange student (your partner) won a $1000 gift certificate at the local mall. Find out the following.

1. what he or she bought
2. how much each item costs
3. where he or she shopped
4. where he or she ate

LA MODA

¿Cómo es la moda en España y en Latinoamérica? ¿Qué estilo está en onda[1]? Pues, es difícil saber. ¿Por qué? Porque la moda cambia rápidamente como aquí en los Estados Unidos. Lo que hoy está de moda, mañana está pasado de moda.

Pero podemos generalizar un poco y decir que ahora el estilo favorito de los jóvenes es informal y dinámico. Para los muchachos un blue jean con una camisa amplia. Y para ocasiones más formales—el estilo clásico—el versátil saco azul marino con una camisa azul y pantalones color crema.

Y para las jóvenes hay más variedad y flexibilidad aunque los estilos cambian de un día para otro. En un grupo de tres o cuatro chicas una puede llevar un traje pantalón con un cinturón sofisticado; otra lleva una falda con una blusa con cuello sin espalda, abotonada como un saco; y otra lleva blue jean con un blusón.

¿Cuál es el estilo que te gusta más ahora? ¿Te gusta el estilo deportivo o clásico? ¿Qué opinas? ¿Hay mucha diferencia entre la moda de los jóvenes en los Estados Unidos y los jóvenes en España o Latinoamérica?

[1] onda *in*

Estudio de palabras

A **Palabras afines.** Busquen diez palabras afines en la lectura.

B **¿Cuál es la palabra?** Busquen una expresión equivalente.

1. está en onda
2. en este momento
3. versátil
4. favorito
5. una ocasión
6. el saco

a. un evento
b. un tipo de chaqueta
c. muy popular
d. ahora, actualmente
e. predilecto
f. que sirve para muchas ocasiones

Comprensión

A **¿Verdad o no?** Contesten con *sí* o *no*.

1. Es fácil describir la moda entre los jóvenes españoles y latinoamericanos.
2. La moda no cambia mucho en los países latinos.
3. En este momento el estilo que está de moda es más bien formal y clásico.
4. Hay muy poca diferencia entre lo que llevan los jóvenes aquí y lo que llevan en los países de habla española.

B **Un conjunto.** Describan un conjunto bonito, atractivo para ir a los siguientes lugares: el colegio, el cine, una fiesta.

★ LO QUE ESTÁ IN

ARETES
Largos
En forma de botones
Dorados mate
Formas geométricas
En forma de gotas

BRAZALETES
Grandes
De metal

COLLARES
Gargantillas
Collares pegados al cuello
Antiguos
Perlas falsas o reales

DETALLES
Tonos metálicos
Con diseños de animales selváticos
Cintas
Antigüedades

RELOJES
De brazalete
Deportivos
Con personajes de caricaturas

PRENDEDORES
Formas abstractas
Broches

LO QUE ESTÁ OUT

Los accesorios pequeños
Aretes minúsculos
Varios collares

VOGUE
MÉXICO

Empacando para un crucero
Tijuana, la frontera inquieta

DESCUBRIMIENTO CULTURAL

En Latinoamérica o en España, como aquí, hay muchos tipos de tiendas diferentes adonde va la gente a comprar ropa. Hay grandes almacenes o tiendas de departamentos. En las ciudades hay también pequeñas tiendas elegantes, donde los precios son bastante altos. En estas tiendas venden la ropa de los grandes modistas (diseñadores) como Cartier, Balenciaga, etc.

Hay también tiendas que tienen precios bajos porque siempre tienen ofertas especiales, rebajas (precios reducidos) y gangas[1]. Tienen muchos saldos o liquidaciones[2].

En algunos países hay mercados al aire libre. En estos mercados venden muchos productos indígenas. Tienen suéteres de lana, sarapes, ponchos, etc. que son fantásticos y muy razonables.

Hoy en día hay también muchos centros comerciales. Los centros comerciales se encuentran por lo general en las afueras de una ciudad. Un centro comercial tiene una aglomeración de tiendas diferentes. También los grandes hoteles tienen centros comerciales.

Un centro comercial en Buenos Aires, Argentina

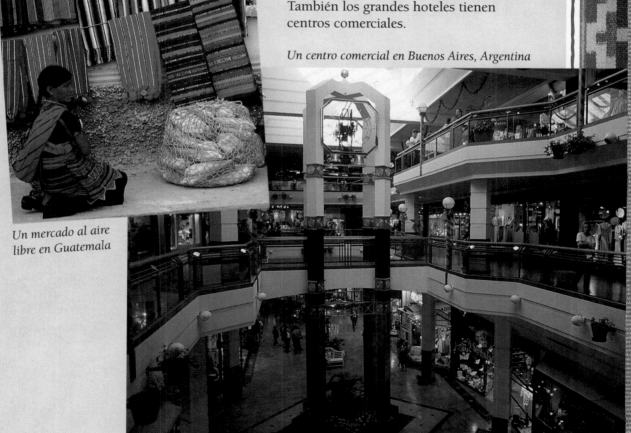

Un mercado al aire
libre en Guatemala

Los tamaños de aquí y de Europa no son los mismos. Aquí tiene Ud. las diferencias.

TALLAS EN ESTADOS UNIDOS Y EN EUROPA

BLUSAS Y SUÉTERES

Estados Unidos	32	34	36	38	40	42	44
Europa	40	42	44	46	48	50	52

VESTIDOS Y TRAJES DE SEÑORA

Estados Unidos	10	12	14	16	18	20
Europa	38	40	42	44	46	48

TRAJES Y ABRIGOS DE CABALLERO

Estados Unidos	36	38	40	42	44	46
Europa	46	48	50	52	54	56

CAMISAS

Estados Unidos	14	14½	15	15½	15¾	16	16½	17
Europa	36	37	38	39	40	41	42	43

CALCETINES

Estados Unidos	9½	10	10½	11	11½
Europa	38-39	39-40	40-41	41-42	42-43

ZAPATOS DE SEÑORA

Estados Unidos	4	5	6	7	8	9	10	11
España	32	34	36	38	40	42	44	46

MEDIAS

Estados Unidos	8	8½	9	9½	10	10½
Europa	0	1	2	3	4	5

Y AQUÍ EN LOS ESTADOS UNIDOS

Carolina Herrera, venezolana y Oscar de la Renta, dominicano, son modistos famosos que viven y diseñan en los Estados Unidos. Herrera diseñó el vestido de boda de Caroline Kennedy, hija del presidente John F. Kennedy.

Paloma Picasso, hija del famoso pintor español Pablo Picasso, nació en Francia pero se considera una diseñadora hispana. Ella diseña joyas (*jewelry*) para la famosa casa Tiffany. También diseña perfumes y cosméticos.

[1] gangas *bargains*
[2] liquidaciones *sales*

Paloma Picasso

REALIDADES

La calle Serrano en Madrid **1**. ¿Es una calle muy bonita, verdad?

Es un mercado al aire libre en Chichicastenango, Guatemala **2**. Los colores de la ropa son muy brillantes.

Es el famoso mercado del Rastro en Madrid **3**. Este mercado tiene lugar todos los domingos.

Es la portada de la revista "Eres", una revista para jóvenes muy popular en México **4**.

Es una liquidación, una venta en una tienda en Buenos Aires **5**. ¿Qué vas a comprar?

CULMINACIÓN

Comunicación oral

A **Una blusa por favor.** You sell clothing in a boutique. A Latin American tourist (your partner) comes in and wants to buy a blouse. The tourist wants to see a variety of styles before making a decision. Help by asking questions and offering advice.

B **El Oscar.** You and your partner are covering the Oscars for a Colombian radio station. Take turns describing in detail what each of the following stars is wearing.

1. Michael Jackson
2. Tom Selleck
3. Cher
4. Andy García
5. Denzel Washington
6. Jodie Foster

C **Le voy a comprar…** With your partner make a list of family members and the gifts you would buy for each one. Explain why you chose each gift.

Comunicación escrita

A **¿Qué está "in"?** With your partner make a list of clothing styles you think are "in" and "out" for high school students. Write down a description of each style and report to the class.

B **Lo que está en onda.** You are covering a fashion show in New York for a Spanish fashion magazine. Write an article of at least two paragraphs decribing the show. Include what's "in," what's "out," and what the new "look" is for next season according to the top designers.

C **Por catálogo.** Last week you ordered several items of clothing from a mail order house in Mexico. When you received the items and tried them on you discovered that some were too short, too long, the wrong color, too tight, too big, etc. Write a letter to the mail order house that includes: a brief description of the events leading to the problem; a statement of the problem; what you think the company should do about it.

Muy señores míos:
La semana pasada compré una blusa y un blusón. El color de la blusa no me gusta y el blusón me queda muy grande. Quiero cambiar (exchange) la blusa por otro color y el blusón por una talla más pequeña.

Atentamente,
Mariela García

Reintegración

 Al cine. Contesten con *sí*.

1. ¿Fuiste al cine anoche?
2. ¿A qué cine fuiste?
3. ¿Qué película viste?
4. ¿Cuántas entradas compraste en la taquilla?
5. ¿Te gustó la película?
6. ¿Fuiste al cine con tus amigos?
7. Después, ¿fueron Uds. a tomar una merienda?
8. ¿Qué tomaste?
9. ¿Comiste?
10. ¿Qué comiste?
11. ¿Quién pagó, tú o tu amigo(a)?
12. ¿A qué hora volviste a casa?

Vocabulario

SUSTANTIVOS

la tienda de ropa
  para caballeros
  (señores)
  para damas (señoras)
el escaparate
la vitrina
el mostrador
el/la dependiente
el/la cliente
la caja
la tarjeta de crédito
la camisa
la corbata
el traje
los pantalones
la chaqueta
el saco
las medias
los calcetines
el blue jean
el T shirt
la camiseta
el suéter
el jersey
la blusa
la falda
el vestido
el sombrero
el cinturón
el abrigo
la gabardina
el blusón

los zapatos
las sandalias
los tenis
el precio
el color
el número
el tamaño
la talla

la manga
el tacón
el botón
la cremallera
el zíper

ADJETIVOS

corto(a)
largo(a)
ancho(a)
estrecho(a)
caro(a)
barato(a)

blanco(a)
rojo(a)
verde
negro(a)
amarillo(a)
gris
anaranjado(a)
azul

VERBOS

interesar
aburrir
enojar

Oscar de la Renta, diseñador dominicano que vive en los Estados Unidos

enfadar
sorprender
molestar
gustar
encantar

OTRAS PALABRAS Y EXPRESIONES

demasiado
bastante
a rayas
a cuadros
de color
  crema
  vino
  café
  oliva
  marrón

hacer juego con
me sienta bien
me queda bien
me aprieta

¿cuánto cuesta?
nada
nadie
nunca
ni yo tampoco
algo
alguien
siempre
también

OBJETIVOS

In this chapter you will learn to:

1. use words and expressions related to train travel
2. purchase a train ticket and request information about arrival, departure, etc.
3. talk about events or activities that took place at a definite time in the past
4. identify various types of trains and rail services in Spain
5. describe some interesting train trips in Latin America

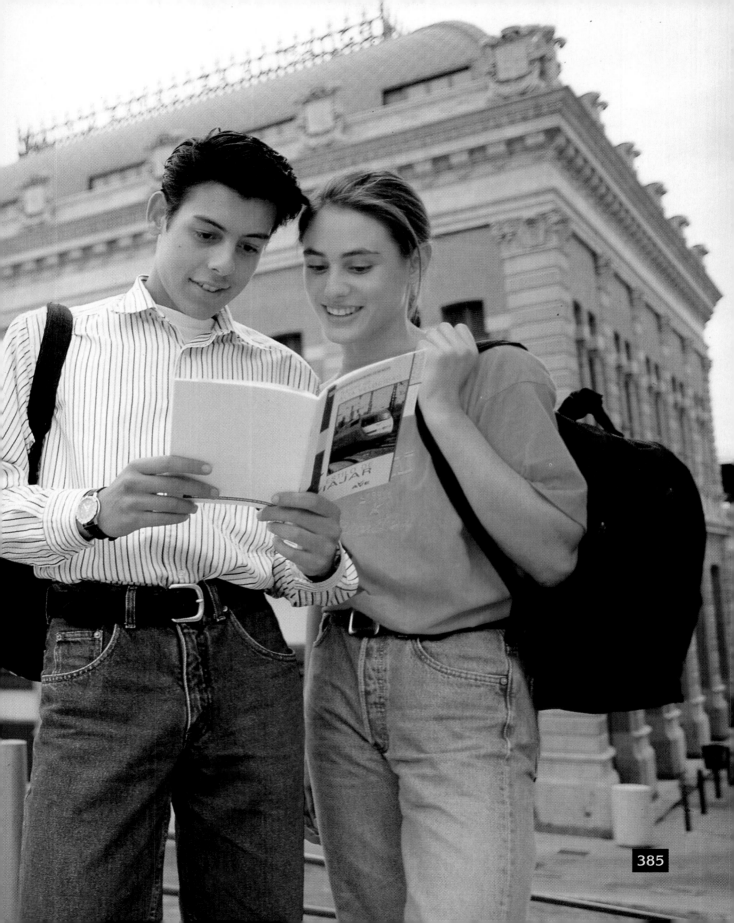

PALABRAS 1

EN LA ESTACIÓN DE FERROCARRIL

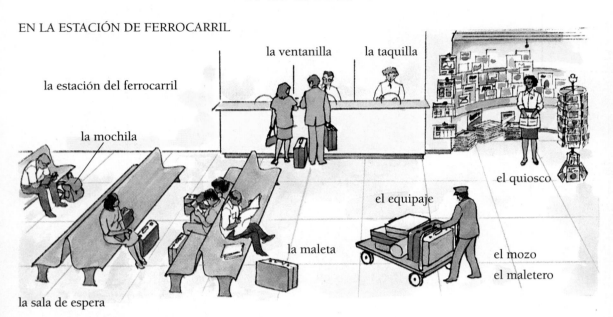

la ventanilla

la taquilla

la estación del ferrocarril

la mochila

el quiosco

el equipaje

la maleta

el mozo
el maletero

la sala de espera

el tablero de llegadas

el tablero de salidas

el boleto   el billete

el billete sencillo

Madrid
País Vasco

el billete de ida y vuelta

el horario

el tren

el vagón

el andén

la vía

La señora hizo un viaje.
Hizo el viaje en tren.
Tomó el tren (fue en tren) porque no quiso
    ir en carro.

El mozo vino con el equipaje.
Otro mozo puso el equipaje en el tren.

El tren salió del andén número tres.
Los pasajeros estuvieron en el andén.

La estación de ferrocarril El Retiro, Buenos Aires, Argentina

---

Ejercicios

A **En la estación de ferrocarril.** Contesten según se indica.

1. ¿Cómo vino la señora a la estación? (en taxi)
2. ¿Dónde puso sus maletas? (en la maletera del taxi)
3. En la estación, ¿adónde fue? (a la ventanilla)
4. ¿Qué compró? (un boleto)
5. ¿Qué tipo de boleto compró? (de ida y vuelta)
6. ¿En qué clase? (segunda)
7. ¿Dónde puso su billete? (en su bolsa)
8. ¿Qué consultó? (el horario)
9. ¿Adónde fue? (al andén)
10. ¿De qué anden salió el tren? (del número tres)
11. ¿Por qué hizo la señora el viaje en el tren? (no quiso ir en coche)

B **Antes de abordar el tren.** Escojan.

1. ¿Dónde espera la gente el tren?
   a. en la ventanilla   **b.** en la sala de espera   **c.** en el quiosco

2. ¿Dónde venden o despachan los billetes?
   a. en la ventanilla   **b.** en el equipaje   **c.** en el quiosco

3. ¿Qué venden en el quiosco?
   a. boletos   **b.** maletas   **c.** periódicos y revistas

4. ¿Qué consulta el pasajero para verificar la hora de salida del tren?
   a. la llegada   **b.** la vía   **c.** el horario

5. ¿Quién ayuda a los pasajeros con el equipaje?
   a. el mozo   **b.** el tablero   **c.** el andén

6. ¿De dónde sale el tren?
   a. de la ventanilla   **b.** del andén
   c. del tablero

C **El billete del tren.** Contesten.

1. ¿De qué estación sale el tren?
2. ¿Adónde va el tren?
3. ¿Cuál es la fecha del billete?
4. ¿A qué hora sale el tren?
5. ¿A qué hora llega el tren?
6. ¿Está el asiento en la sección de fumar o de no fumar?
7. ¿Qué clase de billete es?
8. ¿Con qué pagó el/la pasajero(a)?

PALABRAS 2

EN EL TREN

el pasillo

el vagón

el compartimiento

el revisor

la litera

el coche-cama

el coche-comedor

el asiento

ocupado   libre

reservado

bajar del tren

subir al tren

transbordar

Los pasajeros subieron al tren.
El tren salió a tiempo.
No salió tarde.
No salió con retraso (con una demora).

Los pasajeros van a transbordar en la próxima estación, la próxima parada.

Ejercicios

A **En el tren.** Contesten.

1. Cuando llegó el tren a la estación, ¿subieron los pasajeros a bordo?
2. ¿El tren salió tarde?
3. ¿Con cuántos minutos de demora salió?
4. ¿Vino el revisor?
5. ¿Revisó él los boletos?

B **El tren.** Contesten según la foto.

1. ¿Tiene este tren compartimientos?
2. ¿Tiene el coche o vagón un pasillo central o lateral?
3. ¿Cuántos asientos hay a cada lado del pasillo?
4. ¿Hay asientos libres o están todos ocupados?
5. ¿Está completo el tren?
6. ¿Hay pasajeros de pie en el pasillo?

C **Un viaje en tren.** Completen.

1. Entre Granada y Málaga el tren local hace muchas ___.
2. El expreso o el rápido no hace muchas ___.
3. No hay un tren directo a Benidorm. Es necesario cambiar de tren. Los pasajeros tienen que ___.
4. Los pasajeros que van a Benidorm tienen que ___ en la próxima ___ o ___.
5. ¿Cómo lo sabes? El ___ nos informó que este tren no es directo.

Comunicación

Palabras 1 y 2

A **El Talgo.** You are an exchange student in Spain. You have just returned to Madrid from a trip to Paris. You travelled from Madrid to Paris on the luxury train El Talgo. The train left Madrid at 6:15 p.m. The trip took fifteen hours but the train arrived in Paris one hour late. The train had a dining car and a sleeping car with sleeping berths. It made only two stops: in Burgos and at the French border in the town of Hendaye. You have been asked to tell the class about your trip. Include in your talk:

1. the price of the ticket
2. what time you boarded the train
3. when the train left the station
4. the number of stops and where
5. when and how well you slept
6. what time you arrived in Paris
7. what you think of El Talgo
8. if you recommend it or not, and why

B **¿A qué hora…?** With your group study a map of Spain. One member of the group will be the RENFE (Red Nacional de Ferrocarriles Españoles) ticket agent in Madrid. Each member will choose two cities from the map. Take turns asking the ticket agent: the price of a round trip second class ticket; if there is a dining car; the time the train leaves Madrid; the time it arrives at the city; if the train is always on time.

C **Quiero ir a…** You are planning a train trip from Santiago to Puerto Montt in Chile. Get as much information as you can from the travel agent (your partner). Make sure you cover such things as:

la estación de donde sale	el coche cama	la litera
la estación a donde llega	la hora que sale	la hora que llega
el número de paradas	la tarifa de ida y vuelta	el coche comedor

D **En tren o en avión.** With a classmate, compare train and air travel. For each fact that you state about train travel, your partner will state the corresponding fact about air travel.

Estudiante 1: El tren sale de la estación.

Estudiante 2: El avión sale del aeropuerto.

El pretérito de los verbos *hacer*, *querer* y *venir*

Relating Past Actions

1. The verbs *hacer, querer* and *venir* are irregular in the preterite. Note that they all have an *-i* in the stem and the endings for the *yo* and *él, ella,* and *Ud.* forms are different from the endings of the regular verbs.

INFINITIVE	HACER	QUERER	VENIR
yo	hice	quise	vine
tú	hiciste	quisiste	viniste
él, ella, Ud.	hizo	quiso	vino
nosotros(as)	hicimos	quisimos	vinimos
vosotros(as)	hicisteis	quisisteis	vinisteis
ellos, ellas, Uds.	hicieron	quisieron	vinieron

2. The verb *querer* has a special meaning in the preterite.

| Quise ayudar. | *I tried to help.* |
| No quise ir en carro. | *I refused to go by car.* |

Ejercicios

A **¿Cómo viniste?** Contesten.

1. ¿Viniste a la estación en taxi?
2. ¿Viniste en un taxi público o privado?
3. ¿Hiciste el viaje en tren?
4. ¿Hiciste el viaje en el expreso o en el rápido?
5. ¿Lo hiciste en tren porque no quisiste ir en coche?

B **¿Por qué no quisieron?** Completen las conversaciones.

1. —Ellos no ___ (hacer) el viaje
   —¿No lo ___ (querer) hacer?
   —No, de ninguna manera.
   —Pues, ¿qué pasó entonces? ¿Lo ___ (hacer) o no lo ___ (hacer)?
   —No, no lo___ (hacer).
2. —¿Por qué no ___ (venir) Uds. esta mañana?
   — Nosotros no ___ (venir) porque no ___ (hacer) las reservaciones.
3. —Carlos no ___ (querer) hacer la cama.
   —Entonces, ¿quién la ___ (hacer)?
   —Pues, la ___ (hacer) yo.
   —¡Qué absurdo! ¿Tú la ___ (hacer) porque él no la ___ (querer) hacer?

CONDUZCASE CON PRUDENCIA

ZONA DE SERVICIO

Comida, café, copa y vídeo.
Estos son los ingredientes de un viaje apetecible.
Mézclelos a su gusto. En tren.
En su próximo viaje estamos para servirle.
Sin parar.

ESTACIONAMIENTO RESERVADO

Al salir de viaje aparque bien su coche.
En tren. En Auto-expreso alcanzará los 160 Km/h, sin tocar el acelerador.
Llegará a su destino,
sin cambiar la marcha.

TRANSPORTE ESCOLAR

Si tienes menos de 11 años, juega a los trenes en la guardería.
Si tienes más, disfruta de las ventajas que tiene el tren mientras tus hijos juegan.

VISTA PANORAMICA

Con vistas al campo o con vistas a la playa.
Usted elige.
Sólo tiene que asomarse a la ventanilla y disfrutar.
Sólo tiene que viajar en tren.

VELOCIDAD RECOMENDADA

160 Km/h.

Viaje sin límites. En tren.
A 160 Km/h., cuando menos lo espere, llegará a su destino.
Haga cálculos.

VIA LIBRE

Reservada para usted.
En el tren dispone de una vía exclusiva, sin atascos.
La única vía donde usted tiene preferencia siempre.

OBRAS

Obras públicas para disfrutar en privado. Cómodamente.
No pare hasta llegar al final.
Hasta su destino.

AFLOJENSE LOS CINTURONES

Así viajará más cómodo.
Sin aprietos. Sin agobios.
Sin molestias de ninguna clase.
Así viajará en el tren.

HOTEL

Tenemos plazas para todos.
Para que viaje con toda comodidad, en coche-cama o literas.
No se pierda el tren.

RENFE
MEJORA TU TREN DE VIDA

El pretérito de otros verbos irregulares

Describing Past Actions

1. The verbs *estar, andar* and *tener* are irregular in the preterite. They all have a -*u* in the stem.

INFINITIVE	ESTAR	ANDAR	TENER
yo	estuve	anduve	tuve
tú	estuviste	anduviste	tuviste
él, ella, Ud.	estuvo	anduvo	tuvo
nosotros(as)	estuvimos	anduvimos	tuvimos
vosotros(as)	estuvisteis	anduvisteis	tuvisteis
ellos, ellas, Uds.	estuvieron	anduvieron	tuvieron

2. The verb *andar* means "to go" but not to a specific place. The verb *ir* is used with a specific place. Note the following.

   Fueron a Toledo. *They went to Toledo.*

   Anduvieron por las plazas pintorescas de Toledo.
   They wandered through (walked around) the picturesque squares of Toledo.

3. The verbs *poder, poner,* and *saber* are also irregular in the preterite. Like the verbs *estar, andar,* and *tener,* they all have a -*u* in the stem.

INFINITIVE	PODER	PONER	SABER
yo	pude	puse	supe
tú	pudiste	pusiste	supiste
él, ella, Ud.	pudo	puso	supo
nosotros(as)	pudimos	pusimos	supimos
vosotros(as)	pudisteis	pusisteis	supisteis
ellos, ellas, Uds.	pudieron	pusieron	supieron

4. Like *querer,* the verbs *poder* and *saber* have special meanings in the preterite.

   Pude parar. *(After trying hard) I managed to stop.*
   No pude parar. *(I tried but) I couldn't stop.*
   Yo lo supe ayer. *I found it out (learned it) yesterday.*

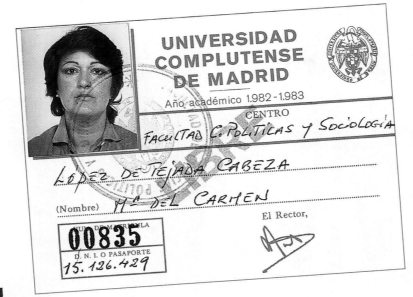

UNIVERSIDAD
COMPLUTENSE
DE MADRID

Año académico 1.982-1.983

CENTRO
FACULTAD C. POLÍTICAS Y SOCIOLOGÍA

LÓPEZ DE TEJADA CABEZA

(Nombre) Mª DEL CARMEN

El Rector,

00835

D. N. I. O PASAPORTE
15. 126. 429

Ejercicios

A **¿Estuviste en la estación?** Contesten según
se indica.

1. ¿Estuviste ayer en la estación de ferrocarril? (sí)
2. ¿Tuviste que tomar el tren a Toledo? (sí)
3. ¿Pudiste comprar un billete reducido? (no)
4. ¿Tuviste que mostrar tu tarjeta de identidad
   estudiantil? (sí)
5. ¿Dónde la pusiste? (no sé)
6. ¿La perdiste? (sí, creo)
7. ¿Cuándo supiste que la perdiste? (cuando
   llegué a en la estación)

B **Estuve en el mercado.** Completen.

El otro día yo ___ (estar) en el mercado de
                    1
Chichicastenango, en Guatemala. Ramón ___
                                         2
(estar) allí también. Nosotros ___ (andar) por el
                                3
mercado pero no ___ (poder) comprar nada.
                  4
No es que no ___ (querer) comprar nada, es
             5
que no ___ (poder) porque ___ (ir) al
        6   7
mercado sin un quetzal.

Escenas de la vida   *En la ventanilla*

PASAJERA: Un billete para Madrid, por favor.
AGENTE: ¿Sencillo o de ida y vuelta?
PASAJERA: Sencillo, por favor.
AGENTE: ¿Para cuándo, señorita?
PASAJERA: Para hoy.

AGENTE: ¿En qué clase, primera o segunda?
PASAJERA: En segunda. ¿Tiene Ud. una tarifa reducida para estudiantes?
AGENTE: Sí. ¿Tiene Ud. su tarjeta de identidad estudiantil?

PASAJERA: Sí, aquí la tiene Ud.
AGENTE: Con el descuento son tres mil pesetas.
PASAJERA: ¿A qué hora sale el próximo tren?
AGENTE: Sale a las veinte y diez del andén número ocho.
PASAJERA: Gracias.

 **De viaje.**   Contesten.

1. ¿Dónde está la señorita?
2. ¿Adónde va?
3. ¿Qué tipo de billete quiere?
4. ¿Para cuándo lo quiere?
5. ¿En qué clase quiere viajar?
6. ¿Es estudiante la señorita?
7. ¿Hay una tarifa reducida para estudiantes?
8. ¿Qué tiene la señorita?
9. ¿Cuánto es el billete con el descuento estudiantil?
10. ¿A qué hora sale el tren?
11. ¿De qué andén sale?

Pronunciación *La consonante x*

An **x** between two vowels is pronounced much like the English **x** but a bit softer.

exacto	conexión	éxito
examen	flexible	próximo

When **x** is followed by a consonant, it is often pronounced like an **s**.

extranjero	explicar	exclamar
Extremadura	extraordinario	excusar

Repeat the following sentence.

El extranjero tomó el examen en Extremadura.

un examen
extraordinario

Comunicación

A **¿Por qué no quieres…?** Recently your best friend (your partner) has been turning down all your invitations to do things together. Ask him or her why. Your partner should give some interesting excuses.

> **ir a patinar**
> Estudiante 1: ¿Por qué no quisiste ir a patinar?
> Estudiante 2: No quise porque la gente que patina no me gusta.

1. ir a patinar
2. jugar al tenis
3. ir al cine
4. venir a la fiesta de ___
5. ir a la piscina
6. asistir al concierto de música clásica

B **¿Qué hiciste?** Ask your partner what he or she did last Saturday, last Sunday, and last night. Reverse roles.

C **¿Dónde estuviste?** Find out if your partner was at the following places or events. He or she will answer "yes" or "no" and give a reason. Reverse roles.

> **el centro comercial**
> Estudiante 1: ¿Estuviste en el centro comercial?
> Estudiante 2: No, porque tuve que estudiar.

1. el concierto de Bach
2. la fiesta de cumpleaños de ___
3. el partido de baloncesto
4. la reunión del club de español
5. la biblioteca

D **En Buenos Aires.** You are at the train station in Buenos Aires, Argentina. You want to buy a ticket for Mar del Plata. Your partner is the ticket agent.

1. Tell the ticket agent what you want.
2. Get the price.
3. Find out at what time the next train leaves.
4. Ask for the track number.

UNA EXCURSIÓN EN TREN

Un grupo de alumnos de la señora Rivera hicieron un viaje a España durante las vacaciones de primavera. La señora Rivera los acompañó. Pasaron unos ocho días en Madrid e hicieron excursiones a las cercanías[1] de la capital.

Un día fueron a Toledo. Hicieron el viaje de Madrid a Toledo en tren. Salieron del hotel y tomaron el autobús a la estación de Atocha. Los trenes para Toledo salen de esta estación. La señora Rivera fue a la ventanilla, donde compró o como dicen los madrileños, "sacó", un billete para cada alumno. Luego, verificó[2] la hora de salida del próximo tren en el tablero "Cercanías". Hay también trenes de largo recorrido que van a ciudades lejanas. Pero Toledo está en las cercanías de Madrid, a sólo 100 kilómetros de la capital.

El entierro del conde de Orgaz, de El Greco

Después de una hora en el tren, los alumnos llegaron a Toledo. Todos los alumnos pusieron su billete de vuelta en su mochila y salieron a conocer esta ciudad histórica. Anduvieron por las callejuelas y plazas pintorescas. Visitaron la catedral, una de las sinagogas y la pequeña iglesia de Santo Tomé. ¿Por qué fueron a esta iglesia pequeña? Para ver el famoso cuadro *El entierro del Conde de Orgaz* de El Greco. El famoso pintor, El Greco, nació en Creta, Grecia, pero pasó la mayor parte de su vida en Toledo. Los alumnos estuvieron muy impresionados por la belleza[3] extraordinaria de esta obra maestra que el artista pintó en 1585, en honor del Conde de Orgaz.

[1] cercanías *outskirts* [3] belleza *beauty*
[2] verificó *checked*

La iglesia de Santo Tomé

La sinagoga Nuestra Señora del Tránsito, Toledo, España

Estudio de palabras

A **Palabras afines.** Busquen diez palabras afines en la lectura.

B **¿Cuál es la otra palabra?** Pareen.

1. hicieron un viaje
2. siete días
3. excursión
4. el lugar
5. la vuelta
6. de largo recorrido
7. fabuloso
8. la callejuela
9. la sinagoga
10. el pintor

a. el sitio
b. calle estrecha
c. fantástico
d. viajaron
e. una semana
f. el regreso
g. viaje
h. el templo judío
i. de larga distancia
j. el artista

Una calle en Toledo, España

Comprensión

A **En Toledo.** Contesten.

1. ¿Dónde pasaron las vacaciones de primavera los alumnos de la señora Rivera?
2. ¿Cuántos días estuvieron en Madrid?
3. ¿Adónde hicieron excursiones?
4. ¿Cómo fueron a Toledo?
5. ¿De qué estación salió el tren?
6. ¿Qué compró (sacó) la señora Rivera?
7. ¿Dónde pusieron los alumnos su billete de vuelta?
8. ¿Por dónde anduvieron los alumnos?
9. ¿Qué lugares turísticos visitaron?
10. ¿Qué vieron en la iglesia de Santo Tomé?

B **Datos.** Identifiquen.

1. el nombre de un pintor español
2. la ciudad donde pasó la mayor parte de su vida el pintor
3. el año en que el pintor pintó el cuadro
4. el nombre de uno de sus cuadros más famosos
5. el nombre de la iglesia donde está este cuadro

C **El Greco.** Decidan.

1. Si el pintor pintó este cuadro en 1585, ¿en qué siglo vivió?
2. El pintor tiene el apodo de El Greco. Su verdadero nombre es Doménikos Theotokópoulos. La lectura dice que este pintor pasó la mayor parte de su vida en Toledo. ¿Qué opina Ud.? ¿Por qué tiene el apodo El Greco?

DESCUBRIMIENTO CULTURAL

¿*Te* gusta viajar en tren? A muchos les gusta hacer una excursión en tren de vez en cuando. Mientras viajan, pueden observar el paisaje.

Y si te interesa el paisaje, hay tres viajecitos que tienes que hacer en Latinoamérica. El primero es el viaje de Cuzco a Machu Picchu en el Perú. Cada día, a las siete de la mañana un tren de vía estrecha[1] sale de la estación de San Pedro en Cuzco y llega a las diez y media a Machu Picchu. Cuzco está a 3.469 metros sobre el nivel del mar[2]. El tren tiene que bajar a 2.300 metros para llegar a Machu Picchu —¡tiene que bajar 1.100 metros! En Machu Picchu están las ruinas fabulosas de los incas. Es una ciudad entera, totalmente aislada[3], en un pico andino al borde de un cañón. Un

dato histórico increíble es que los españoles nunca descubrieron a Machu Picchu durante su conquista del Perú. Los historiadores creen que Machu Picchu fue el último refugio de los nobles incas que se escaparon de los españoles. Si los españoles no encontraron a Machu Picchu, ¿quien lo encontró? Hiram Bingham, el explorador y senador de los Estados Unidos, lo encontró en 1911. ¿Cómo llegó Bingham a Machu Picchu? ¡A pie! Hoy, hay solamente dos maneras de ir a Machu Picchu. ¿Cuáles son? A pie, como llegó Bingham, o en el tren que sale de Cuzco a las siete de la mañana.

Otro viaje interesante es el de San José, Costa Rica, a Puntarenas. San José, la capital, está a una altura de 1.135 metros y Puntarenas está al nivel del mar, en una región tropical de la costa del Pacífico. El pequeño tren con bancos de madera tiene que bajar las montañas como una víbora[4]. Para los naturalistas es fascinante ver que en sólo dos horas cambia la vegetación entre la zona fresca montañosa y la zona tórrida tropical.

[1] estrecha *narrow gauge*   [3] aislada *isolated*
[2] nivel del mar *sea level*   [4] víbora *snake*

Machu Picchu

EMPRESA NACIONAL DE FERROCARRILES DEL PERU

FERROCARRIL DEL CENTRO 1

Punto Ferroviario más alto del mundo 4.118 m.s.n.m.

OROYA

LIMA   HUANCAYO

CALLAO   HUANCAVELICA

OCEANO PACIFICO

FERROCARRIL DEL SUR 2

QUILLABAMBA
MACHU PICCHU (2.038 mts.)
OLLANTAYTAMBO
URUBAMBA
CUSCO (3.418 mts.)
LA RAYA (4.315 mts.)
JULIACA
PUNO   LA PAZ
MATARANI
AREQUIPA   HUAQUI
MOLLENDO
OCEANO PACIFICO
LAGO TITICACA

El canal de Panamá

El tercer viaje es el de la ciudad de Panamá a Colón. El tren cruza el istmo de Panamá. Durante algunas partes del recorrido, los pasajeros pueden ver el canal. ¡Una cosa muy interesante! El tren sale de Panamá, en la costa del Océano Pacífico, y termina en Colón, en la costa del Caribe. El Pacífico está al oeste y el Caribe está al este, ¿no? Sí, es verdad. Pero, a causa de la forma del istmo, este tren viaja hacia el noroeste para llegar al noreste. Colón, en el Caribe, está al noroeste de Panamá que está en el Pacífico. Si Uds. no lo creen, tienen que mirar el mapa.

Y AQUÍ EN LOS ESTADOS UNIDOS

Entre 1880 y 1900 se construyeron líneas de ferrocarril por todo el suroeste de los EE. UU., Texas, Nuevo México, Arizona, California, el norte y después, todo México. Las vías cruzaron la frontera en Nogales, El Paso y Laredo.

Las compañías trajeron a miles de mexicanos para trabajar en la construcción y el mantenimiento de las vías. Muchos de ellos se quedaron en el suroeste.

Al principio los mexicanos que vinieron a trabajar vinieron del norte de México. Pero cuando las líneas se extendieron más al sur de Zacatecas, vinieron a los EE. UU. mexicanos de toda la república. Así, la primera gran migración de mexicanos a los EE. UU. fue uno de los resultados de la construcción de los ferrocarriles.

Trabajadores mexicanos

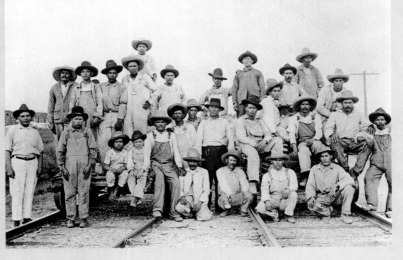

REALIDADES

Es una muralla de la fabulosa ciudad de Cuzco en los Andes del Perú **1**. Si quieres visitar las famosas ruinas incai-cas de Machu Picchu, puedes tomar el tren de Cuzco.

Es el cuadro de El Greco, *Vista de Toledo* **2**.

Es el horario de El Talgo **3**. El Talgo es un tren de lujo con coches elegantes, aire acondi-cionado, comidas riquísimas y buen servicio.

Este joven espera el tren en la estación de Málaga en el sur de España **4**. ¿Viajas mucho en tren? ¿Adónde vas?

Talgo 200

MADRID • MALAGA

TIPO DE TREN (*)	MALAGA · MADRID		
NUMERO DE TREN OBSERVACIONES	VALLE	LLANO	LLANO
	9141	9143	9145 (B)
MALAGA	9:45		
BOBADILLA	10:29	16:10	19:40
PUENTE GENIL	10:57	16:53	20:37
MONTILLA	11:16	17:21	-
CORDOBA	12:05	-	-
PUERTOLLANO	12:57	18:30	22:15
CIUDAD REAL	13:14	19:22	-
MADRID Puerta de Atocha	14:25	19:41	-
		20:55	00:30

...so, todos los servicios se prestan con trenes TALGO 200.
el 31/07, el 16/08 y el 31/08.

TALGO 200 PUNTA

A efectos de precios, se consideran en todo su trayecto con denominación TALGO 200 PUNTA los siguientes:

DIAS	MESES	TALGO 200 con salida de origen a las:
1	JULIO	10:00, 14:10 y 15:20 de MADRID
15	JULIO	9:45 y 16:10 de MALAGA
16	JULIO	10:00 y 15:20 de MADRID
31	JULIO	9:45 , 16:10 y 19:40 de MALAGA
1 y 16	AGOSTO	10:00 y 15:20 de MADRID
15	AGOSTO	9:45 y 16:10 de MALAGA
31	AGOSTO	9:45 , 16:10 y 19:40 de MALAGA
1	SEPTIEMBRE	10:00 y 15:20 de MADRID

405

CULMINACIÓN

Comunicación oral

A **Su pasaporte.** You are the *revisor* on the train from Madrid to Paris and your partner is the *viajero*. You knock on the compartment door, greet your partner, and ask if you can see his or her ticket and passport. Your partner shows them to you and asks if the train is going to arrive in Paris on time. You say that it is going to arrive one hour late because it stopped in Burgos too long.

B **De paseo.** You have been away on a study tour for ten days and have just returned to school after missing two days of classes. Find out from the exchange student from Venezuela (your partner) what has been going on and what you've missed. Reverse roles. Some things you might want to know are:

1. what he or she did during vacation
2. how the school's teams did
3. any parties you missed (*perder*)
4. what went on in different classes
5. any tests you may have missed

C **El tren, el bus o el avión.** Work in groups of four. With your group compile a list of advantages and disadvantages (*ventajas y desventajas*) for each of three methods of transportation. Make sure you include such things as: speed, price, location of terminals or stations, and anything else you consider important. Polish your list and have one person present it to the class.

Comunicación escrita

A **En Segovia.** Mrs. Rivera's class visited Ávila and Segovia, two famous historic cities near Madrid. Get information about these cities in an encyclopedia or other source, and describe what Mrs. Rivera's students saw and did there.

B **Machu Picchu.** You have just taken the train from Cuzco to Machu Picchu. Write an entry in your diary about the trip. Include your impressions of the scenery, the weather conditions, etc.

Acueducto romano en Segovia, España

C **Las listas.** You plan to take an overnight train trip and need to get organized. Write a list of everything you need to do. Include such things as going to the travel agent, buying train tickets, making reservations for a berth, packing your suitcase, buying items you will need, etc. Make as complete a list as possible. Compare your list with a classmate's. Did you forget anything?

Reintegración

A Preparaciones para un viaje. Contesten.

1. ¿Hiciste la maleta?
2. ¿Qué pusiste en la maleta?
3. Antes de hacer el viaje, ¿compraste ropa nueva?
4. ¿Dónde la compraste?
5. ¿Qué compraste?
6. ¿Te costó mucho?
7. ¿Le diste el dinero a la empleada en la tienda?
8. El viaje que hiciste, ¿lo hiciste en tren?
9. ¿A qué hora salió el tren de la estación de ferrocarril?

B Los cursos que me interesan. Contesten.

1. ¿Cuáles son los cursos que te interesan?
2. ¿Cuáles son los cursos que no te interesan, que te aburren?
3. ¿Cuáles son los deportes que te interesan?
4. ¿Cuáles son los deportes que no te interesan, que te aburren?
5. ¿Cuáles son los cursos que te gustan más?

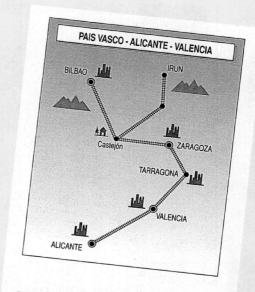

Vocabulario

SUSTANTIVOS

la estación de ferrocarril
la ventanilla
la taquilla
el billete de ida
  y vuelta
el billete sencillo
el horario
la sala de espera
el quiosco
el tablero de llegadas
el tablero de salidas
el mozo
el maletero
la maleta
la mochila
el equipaje
el andén
la vía
el tren

el vagón
el coche
el pasillo
el compartimiento
el asiento
el coche-cama
la litera
el coche-comedor
el revisor

la estación
la parada
el retraso
la demora

ADJETIVOS

libre
ocupado(a)
reservado(a)
sencillo(a)
próximo(a)

VERBOS

esperar
bajar(se) del tren
transbordar
subir al tren

**OTRAS PALABRAS
Y EXPRESIONES**

tarde
a tiempo
con retraso
con una demora

CAPÍTULO

15

EN EL RESTAURANTE

OBJETIVOS

In this chapter you will learn to do the following:

1. order food or beverage at a restaurant
2. identify some food
3. identify eating utensils and dishes
4. explain how you like certain foods prepared
5. talk about present and past events and activities
6. describe some of the many cuisines of the Hispanic world
7. compare some U.S. and Hispanic dining habits

PALABRAS 1

EL RESTAURANTE

el menú

el mesero

el cocinero

la mesa

la tarjeta de crédito

la cuenta

la propina

Tengo hambre. Quiero comer.
Tengo sed. Voy a beber algo.

la pimienta   la sal

el vaso

la taza

el platillo

el cuchillo

la cuchara

la servilleta

el plato

la cucharita

el tenedor

el mantel

pedir

freír

La señorita pide el menú.

El cocinero fríe (está friendo) las papas.

servir

El mesero le sirve la comida.

Ejercicios

A **En el restaurante.** Contesten.

1. ¿Cuántas personas hay en la mesa?
2. ¿Pide María el menú?
3. ¿Le trae el menú el mesero?
4. ¿María pide?
5. ¿El mesero le sirve?
6. ¿El mesero le sirve bien?
7. Después de la comida, ¿le pide la cuenta al mesero?
8. ¿Le trae la cuenta el mesero?
9. ¿Paga con su tarjeta de crédito María?
10. ¿María le da (deja) una propina al mesero?
11. ¿Tiene hambre María?
12. Después de la comida, ¿tiene hambre María?

B **El mesero pone la mesa**. Completen.

1. Para comer los clientes necesitan ___, ___, ___ y ___ .
2. Dos condimentos son la ___ y la ___ .
3. El mesero cubre la mesa con ___.
4. En la mesa el mesero pone una ___ para cada cliente.
5. El niño pide un ___ de leche y sus padres piden una ___ de café.
6. Ellos tienen ___ y piden una botella de agua mineral.

C **¿Qué necesitas?** Contesten según el modelo.

> **¿Para tomar leche?**
> *Para tomar leche, necesito*
> *un vaso.*

1. ¿Para tomar agua?
2. ¿Para tomar café?
3. ¿Para comer la ensalada?
4. ¿Para comer el postre?
5. ¿Para cortar la carne?

D **Palabras relacionadas.** Busquen una palabra relacionada..

1. la mesa   a. la cuenta
2. la cocina   b. el servicio
3. costar   c. la bebida
4. servir   d. el cocinero
5. freír   e. la comida
6. comer   f. el mesero
7. beber   g. frito

Cada quien su gusto...

pero La Fina
a todos
da gusto

La Fina
Sal de Mesa
Refinado, Yodatada
y Fluorurada
Con Antihumectante

100% Sal.
Refinada-Limpia-Yodatada.

La Fina razón del sazón

PALABRAS 2

LAS COMIDAS

la carne

el pollo

el pescado

los mariscos

las frutas

las legumbres
los vegetales
las verduras

la tortilla

el pan

el jamón

el huevo

el aceite

el queso

la papa

los frijoles
las habichuelas

la lechuga

el arroz

¿Cómo le gusta el biftec?

casi crudo

a término medio

María pidió un biftec.
El mesero le sirvió el biftec.
Él le sirvió el biftec como lo pidió.
La comida está deliciosa, muy rica.
No está mala.

bien hecho (cocido)

Nota: En los Estados Unidos hay muchos restaurantes mexicanos. ¿Sabes lo que son los tacos, las enchiladas, las tostadas, las flautas, las fajitas, el guacamole?

Ejercicios

A **Cenó en el restaurante.** Contesten.

1. ¿Fue María al restaurante anoche?
2. ¿Quién le sirvió?
3. ¿Pidió María un biftec?
4. ¿Cómo lo pidió?
5. ¿Pidió también una ensalada?
6. ¿Le sirvió el mesero una ensalada de lechuga y tomate?
7. ¿Le sirvió una comida deliciosa o una comida mala?

B **Sí, me gusta.** Preguntas personales.

1. ¿Te gusta la ensalada?
2. ¿Te gusta la ensalada con aceite y vinagre?
3. ¿Te gusta el biftec?
4. ¿Te gusta el biftec casi crudo, a término medio o bien hecho?
5. ¿Te gusta el sándwich de jamón y queso? ¿Te gusta más tostado?
6. ¿Te gusta la tortilla de queso?
7. ¿Te gusta el jamón con huevos?

C **¿Te gusta o no te gusta?** Contesten según la foto.

1.

2.

3.

4.

5.

6.

Comunicación

Palabras 1 y 2

A **¿Qué comen?** The home economics class at the school in Honduras where you are an exchange student wants to know all about eating habits in the United States. Tell the class:

1. where people eat each meal
2. at what time Americans eat each meal
3. some things people eat
4. what people drink with their meals

B **¿Qué quieres?** You and your partner go out to a restaurant for breakfast, lunch, and dinner. You never know what to order. Your partner will give you a few suggestions. You turn down each suggestion and then you order something totally different. Reverse roles.

> el desayuno
> Estudiante 1: No sé qué pedir para el desayuno.
> Estudiante 2: ¿Por qué no pides huevos fritos?
> Estudiante 1: No me gustan los huevos.
> Estudiante 2: ¿Por qué no pides cereal?
> Estudiante 1: No, quiero otra cosa.
> Estudiante 2: ¿Por qué no pides jamón?
> Estudiante 1: No, voy a pedir pan y café.

C **En el restaurante.** You go to a restaurant in Caracas. Your partner is the server. Do the following:

1. Ask for the menu.
2. Find out what the specialties of the house are.
3. Give the server your order.
4. Ask what there is to drink and order something.
5. Ask for the bill.

El presente de los verbos con el cambio *e > i*

Describing People's Activities

1. The verbs *pedir, servir, repetir, freír,* and *seguir* "to follow" are stem-changing verbs. The *e* of the infinitive stem, **ped**ir, **serv**ir, changes from *e* to *i* in all forms of the present tense except the *nosotros* and *vosotros* forms. Note the following.

INFINITIVE	PEDIR	SERVIR	FREÍR
yo	pido	sirvo	frío
tú	pides	sirves	fríes
él, ella, Ud.	pide	sirve	fríe
nosotros(as)	pedimos	servimos	freímos
vosotros(as)	*pedís*	*servís*	*freís*
ellos, ellas, Uds.	piden	sirven	fríen

2. Note the spelling of the verb *seguir.*

SEGUIR	
yo	sigo
tú	sigues
él, ella, Ud.	sigue
nosotros(as)	seguimos
vosotros(as)	*seguís*
ellos, ellas, Uds.	siguen

RESTAURANTE

Los Remos

(antes Parque Moroso)

PRIMERA CASA EN PESCADOS Y MARISCOS

AMBIENTE SELECTO ✳ VIVEROS PROPIOS

Los Remos
mariscos
pescados
Restaurante

Ctra. Coruña, km. 12,700 ✳ Telfs. 207 72 30 - 207 73 36
ABIERTO DOMINGOS MEDIODÍA

P PARKING PROPIO

Ejercicios

A Lo que yo pido. Digan si piden lo siguiente o no.

1.

2.

3.

4.

5.

6.

B Lo que pedimos en el restaurante. Sigan el modelo.

> A Juan le gusta el pescado. ¿Qué pide él?
> *Él pide pescado.*

1. A Teresa le gustan los mariscos. ¿Qué pide ella?
2. A Carlos le gusta el biftec. ¿Qué pide él?
3. A mis amigos les gustan las legumbres. ¿Qué piden ellos?
4. A mis padres les gusta mucho la ensalada. ¿Qué piden ellos?
5. Nos gusta el postre. ¿Qué pedimos?
6. Nos gustan las tortillas. ¿Qué pedimos?

C Vamos al restaurante. Completen.

Cuando mi amiga y yo ___ (ir) al restaurante, nosotros ___ (pedir) casi
            1   2

siempre un biftec. Yo lo ___ (pedir) casi crudo y ella lo ___ (pedir) bien
                          3   4

hecho. A mi amiga le ___ (gustar) mucho las papas fritas. Ella ___ (decir) que
                      5   6

le ___ (gustar) más cuando el cocinero las ___ (freír) en aceite de oliva.
     7   8

D Cuando voy a un restaurante. Preguntas personales.

1. Cuando vas a un restaurante, ¿qué pides?
2. ¿Cómo pides la carne?
3. ¿Y cómo pides las papas? Si no pides papas, ¿pides arroz?
4. ¿Qué más pides con la carne y las papas o el arroz?
5. ¿Quién te sirve en el restaurante?
6. Si te sirve bien, ¿qué le dejas?

El pretérito de los verbos con el cambio *e > i, o > u*

Describing People's Activities in the Past

1. The verbs *pedir, repetir, freír, servir,* and *seguir* have a stem change in the preterite also. The *e* of the infinitive stem changes to *i* in the *él* and *ellos* forms.

INFINITIVE	PEDIR	REPETIR	SEGUIR
yo	pedí	repetí	seguí
tú	pediste	repetiste	seguiste
él, ella, Ud.	pidió	repitió	siguió
nosotros(as)	pedimos	repetimos	seguimos
vosotros(as)	*pedisteis*	*repetisteis*	*seguisteis*
ellos, ellas, Uds.	pidieron	repitieron	siguieron

2. The verbs *preferir* and *dormir* "to sleep" also have a stem change in the preterite. The *e* in *preferir* changes to *i* and the *o* in *dormir* changes to *u* in the *él* and *ellos* forms.

INFINITIVE	PREFERIR	DORMIR
yo	preferí	dormí
tú	preferiste	dormiste
él, ella, Ud.	prefirió	durmió
nosotros(as)	preferimos	dormimos
vosotros(as)	*preferisteis*	*dormisteis*
ellos, ellas, Uds.	prefirieron	durmieron

Other verbs conjugated like *preferir* and *dormir* are *sugerir* "to suggest" and *morir* "to die."

Ejercicios

A **¿No te sirvieron bien?** Contesten.

1. ¿Qué pediste en el restaurante? (un biftec)
2. ¿Cómo lo pediste? (casi crudo)
3. ¿Cuántas veces repetiste "casi crudo"? (dos veces)
4. ¿Y cómo sirvió el mesero el biftec? (bien hecho)
5. ¿Qué hiciste? (pedí otro biftec)
6. ¿Qué pidió tu amigo? (puré de papas)
7. ¿Y qué pasó? (el cocinero frió las papas)
8. ¿Qué sirvió el mesero? (papas fritas)
9. ¿Pidieron Uds. una ensalada? (sí)
10. ¿Qué pidieron para la ensalada? (aceite y vinagre)
11. ¿Y con qué sirvió las ensaladas el mesero? (con mayonesa)
12. ¿Le dieron Uds. una propina al mesero? (no)

B **Yo preparé la comida.** Completen con el pretérito.

1. Anoche mi hermano y yo ___ la comida para la familia. (preparar)
2. Yo ___ el pescado. (freír)
3. Mi hermano ___ las papas. (freír)
4. Mamá ___ la mesa. (poner)
5. Y papá ___ la comida. (servir)
6. Todos nosotros ___ muy bien. (comer)
7. A todos nos ___ mucho el pescado. (gustar)
8. Mi hermano y mi papá ___ el pescado. (repetir)
9. Luego yo ___ el postre, un sorbete. (servir)
10. Después de la comida mi hermano echó (tomó) una siesta. Él ___ media hora. (dormir)
11. Yo no ___. No me gusta dormir inmediatamente después de comer. (dormir)

Escenas de la vida   *En el restaurante*

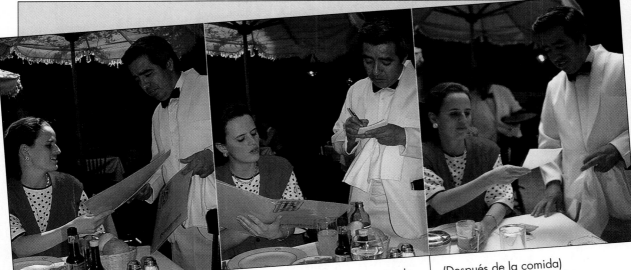

RAQUEL: El menú, por favor.
MESERO: ¡Cómo no! ¡En seguida!
RAQUEL: Gracias.

MESERO: Esta noche le recomiendo el biftec. Está muy bueno.
RAQUEL: De acuerdo, el biftec, por favor.
MESERO: ¿Y cómo le sirvo el biftec? ¿Cómo le gusta?
RAQUEL: A término medio, por favor.

(Después de la comida)
RAQUEL: La cuenta, por favor.
MESERO: En seguida, señorita.
RAQUEL: ¿Está incluido el servicio?
MESERO: Sí, está incluido.

El mesero.   Completen.

1. El mesero me trae ___ .
2. Él me recomienda ___.
3. Yo pido ___.
4. El mesero me sirve el biftec ___.
5. Después de comer, yo le pido ___.
6. Él me trae ___.
7. Él dice que el servicio ___.

Pronunciación *La acentuación*

1. The rules of stress or accentuation in Spanish are simple. Words ending in a vowel, **n**, or **s** are accented on the next-to-last syllable.

   se*ño*rita　　*Car*men　　pre*pa*ras

2. Words ending in a consonant (except **n** or **s**) are accented on the last syllable.

   se*ñor*　　ca*lor*　　Ma*drid*　　universi*dad*

3. Words that do not follow the above rules must have a writ accent mark over the stressed syllable.

   *ár*bol　　*Ló*pez　　capi*tán*

4. A word of one syllable (monosyllabic) does not take an accent unless the same word can have two different meanings. The written accent mark distinguishes between words that are spelled alike but have different meanings.

tú	*you*	sí	*yes*	él	*he*
tu	*your*	si	*if*	el	*the*

el árbol del capitán López

Comunicación

A **En el restaurante.** You are having dinner in a small restaurant near the Ramblas in Barcelona, Spain. Your partner will be the server.

1. Ask for the menu.
2. One of the specialties of the restaurant is charcoal-broiled chicken, *pollo al carbón*. Order the chicken.
3. Decide what you want with the chicken and order it.
4. Order a dessert.
5. Ask for the check.
6. Find out if the service is included.

B **Una reservación.** You have just heard a commercial on the radio about a great Mexican restaurant, *El Charro*. You call the restaurant to make reservations for Saturday night. Your partner is the restaurant manager.

1. Request a table for two for Saturday night.
2. Tell what time you want it for.
3. Give your name (*A nombre de…*).
4. Ask if you can pay with a credit card.
5. Thank the manager and say goodbye.

C **¿Qué preparamos?** Work in groups of three. You need to create three special menus for RENFE: a vegetarian menu (*vegetariano*), a low-fat menu (*bajo en grasas*), and an exotic "gourmet" menu. Discuss your recommendations, prepare the menus, and present them to the class.

LA COMIDA EN UN RESTAURANTE HISPANO

¿Qué es la cocina hispana? La cocina "hispana" no existe porque hay una gran variedad de cocinas. La cocina varía de un país a otro. La cocina española no es la comida mexicana y ésta no es la comida argentina. Vamos a ver algunos ejemplos.

La comida mexicana es muy popular en los Estados Unidos. Hay muchos restaurantes mexicanos en este país. Algunos sirven comida típicamente mexicana y otros sirven variaciones que vienen del sudoeste de los EE. UU. donde vive mucha gente de ascendencia mexicana. La base de muchos platos mexicanos es la tortilla que es un tipo de panqueque de maíz. Con las tortillas los mexicanos preparan tostadas, tacos,

enchiladas, etc. Rellenan[1] las tortillas con pollo, carne de res, queso, y frijoles.

En España comen tortillas también, pero no son de maíz. Los españoles preparan las tortillas con huevos. La tortilla a la española es una tortilla con patatas y cebollas[2]. La cocina española es muy buena y variada. Los cocineros preparan muchos platos con el aceite de oliva.

En la Argentina reina el biftec, o como dicen los argentinos, "el bife". En las pampas argentinas hay mucho ganado[3] y en los restaurantes argentinos sirven mucho bife. Cuando pides bife, le tienes que decir al mesero cómo lo quieres, casi crudo, a término medio o bien hecho.

En el Caribe, en Puerto Rico, la República Dominicana y Cuba, la gente come mucho pescado y muchos mariscos. Una carne favorita es el puerco o lechón. Sirven el pescado o la carne con arroz, frijoles (habichuelas) y tostones. Para hacer tostones el cocinero corta plátanos en rebanadas[4] y las fríe.

[1] rellenan *fill*
[2] cebollas *onions*
[3] ganado *cattle*
[4] rebanadas *slices*

Lechón asado

Tapas

Un restaurante en México

Estudio de palabras

A **Palabras afines.** Busquen diez palabras afines en la lectura.

B **Más palabras.** Busquen una palabra relacionada.

1. comer   a. la variedad, la variación
2. cocinar   b. la base, básico
3. variar   c. la comida, el comedor
4. servir   d. la preparación
5. basar   e. la cocina, el cocinero
6. preparar   f. el servicio, el servidor, el sirviente

Comprensión

A **¿Sí o no?** Contesten.

1. La cocina es la misma en casi todos los países de Latinoamérica.
2. Hay mucha diferencia entre la cocina de un país y otro.
3. A veces hay una diferencia entre un plato mexicano en México y el mismo plato mexicano del sudoeste de los EE. UU.
4. Hay una gran diferencia entre una tortilla mexicana y una tortilla española.
5. Las pampas están en España.

B **¿Qué cocina es?** Identifiquen la cocina.

1. el aceite de oliva
2. tortillas de maíz
3. carne de res
4. enchiladas
5. arroz y frijoles
6. el lechón

C **¿Qué les parece?** ¿Qué opina Ud.? De las cocinas mencionadas, ¿cuáles son sus favoritas? ¿Pueden Uds. decir por qué?

RESTAURANTE "EL ARRABAL"
C/REAL ARRABAL, 9 ○ TOLEDO

PRIMER GRUPO: Entremeses y Sopas

1. - Entremeses Variados	400. - Ptas.
2. - Ensalada Mixta	300. - "
3. - Sopas de Pasta	300. - "
4. - Sopa de Verduras	300. - "
5. - Jugo de Frutas	150. - "
6. - Gazpacho Andaluz	250. - "
7. - Consomé	250. - "

SEGUNDO GRUPO: Verduras y Huevos

8. - Guisantes Salteados	400. - Ptas.
9. - Alcachofas Salteadas	450. - "
10. - Judías Verdes Salteadas	400. - "
11. - Espárragos con Mayonesa	800. - "
12. - Fabada Asturiana	400. - "
13. - Paella Valenciana (Personas)	1.500. - "
14. - Tortilla Francesa	300. - "
15. - Huevos Fritos con Jamón	450. - "
16. - Espagueti	400. - "

TERCER GRUPO: Carnes y Pescados

17. - Filete de Ternera	500. - Ptas.
18. - Entrecott a la Plancha	1.200. - "
19. - Chuletas de Cordero	700. - "
20. - Chuletas de Cerdo	400. - "
21. - Carne de Ternera en Salsa	700. - "
22. - Pollo Asado	400. - "
23. - Lenguado a la Romana	900. - "
24. - Merluza a la Romana	600. - "
25. - Trucha a la Navarra	600. - "
26. - Perdiz Estofada (1/2)	800. - "
27. - Cordero Estofado	900. - "

CUARTO GRUPO: Postres

28. - Piña	300. - Ptas.
29. - Pijama	500. - "
30. - Flan	150. - "
31. - Melocotón en Almíbar	250. - "
32. - Helado	200. - "
33. - Fruta del Tiempo	200. - "
34. - Queso	300. - "
35. - Tarta Helada	400. - "

MENU DE LA CASA

SE COMPONE DE DOS PLATOS, POSTRE, PAN Y VINO.

Precio
900. Ptas

ESPECIALIDAD DEL DÍA

ZARZUELA DE MARISCOS

IVA NO INCLUIDO

DESCUBRIMIENTO CULTURAL

Cuando la gente va a un restaurante en un país hispano suele pedir más de un plato. Empiezan con un entremés como un cóctel de camarones o una sopa. En España, sirven las legumbres o verduras en un plato aparte. Nunca beben café con la comida. Toman el café después de la comida.

Tampoco es muy común beber agua con la comida. Pero si alguien quiere agua, pide con frecuencia una botella de agua mineral. Si tú vas a un restaurante y pides una botella de agua mineral, el mesero te va a preguntar si quieres el agua con gas o sin gas. ¿Cómo le vas a contestar? ¿Cuál prefieres?

Y AQUÍ EN LOS ESTADOS UNIDOS

Podemos probar platos de todas las cocinas hispanas sin tener que salir de los Estados Unidos. Hace muchos años[1] que restaurantes españoles y mexicanos en todas las grandes ciudades norteamericanas sirven comidas típicas y tradicionales. La comida mexicana también es popular hoy como una opción entre las variedades de comida rápida.

Los restaurantes hispanos en los EE. UU. son elegantes y humildes, grandes y pequeños. Los más interesantes, quizás[2], son aquéllos que se establecieron para servir a sus clientes en los barrios hispanos. La Calle 8, en Miami, por ejemplo, tiene extraordinarios restaurantes cubanos. En Nueva York, en Queens, hay restaurantes colombianos, peruanos, argentinos y puertorriqueños que sirven a sus clientes los platos que les hacen recordar a su patria. En Newark, New Jersey, en la Calle Ferry, hay restaurantes españoles fundados por emigrantes gallegos[3] hace cincuenta años. Y en San Francisco, California, hay hoteles con restaurantes que se establecieron para los pastores vascos[4]. Los pastores pasaban meses en la sierra con sus ovejas[5]. En San Francisco podían recibir su pago[6], dormir en una cama limpia, comer una buena comida vasca y hablar en vascuence.

Y en todo el suroeste de los EE. UU. hay lugares en donde se puede comer una comida hispana, nativa de los EE. UU., preparada por norteamericanos de ascendencia mexicana, comida hispana y al mismo tiempo tan americana como cualquiera.

[1] hace muchos años   *it's been many years*
[2] quizás   *perhaps*
[3] gallegos   *from Galicia, Spain*
[4] pastores vascos   *Basque shepherd*
[5] la oveja   *sheep*
[6] el pago   *pay*

REALIDADES

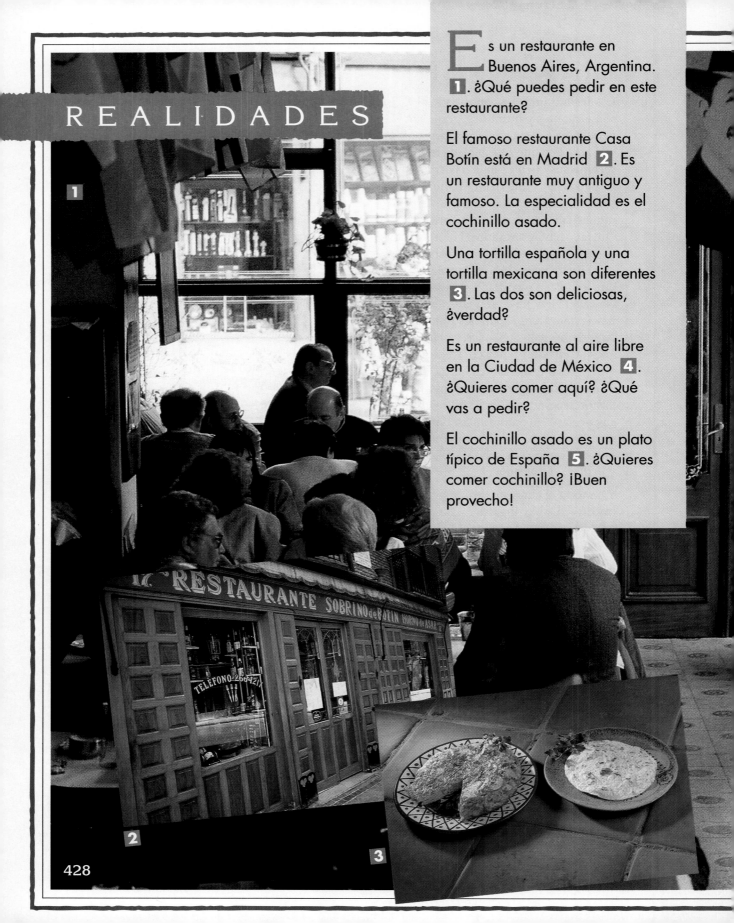

Es un restaurante en Buenos Aires, Argentina. **1**. ¿Qué puedes pedir en este restaurante?

El famoso restaurante Casa Botín está en Madrid **2**. Es un restaurante muy antiguo y famoso. La especialidad es el cochinillo asado.

Una tortilla española y una tortilla mexicana son diferentes **3**. Las dos son deliciosas, ¿verdad?

Es un restaurante al aire libre en la Ciudad de México **4**. ¿Quieres comer aquí? ¿Qué vas a pedir?

El cochinillo asado es un plato típico de España **5**. ¿Quieres comer cochinillo? ¡Buen provecho!

CULMINACIÓN

Comunicación oral

A **Mi restaurante favorito.** Work with a classmate. Find out the following about each other's favorite restaurant.

1. the kind of restaurant
2. where it is
3. what foods they specialize in
4. what each of you likes to order
5. if it is expensive or inexpensive
6. what the service is like
7. if the restaurant is big or small
8. with whom you like to go

B **¡Qué comida!** You have just spent a year traveling in Spain, Mexico, Argentina, and Puerto Rico. The president of a local cooking club (your partner) asks you to come to its meeting to discuss the food and restaurants of the countries you have visited and to answer a list of questions about your culinary experience in each country. Explain what is eaten in each of the countries you visited, what are the ingredients in some typical dishes, and what you ate and drank while traveling. Also answer your partner's questions.

C **La cocina japonesa.** There are ethnic restaurants almost everywhere in the United States. A visitor from Guatemala (your partner) asks you if there are different ethnic restaurants nearby. For each one, tell whether or not you like that kind of cooking (*la cocina*), whether you go to the restaurant or not, and if you do, what you order there.

chino	cubano	francés
mexicano	italiano	argentino
japonés	español	

Comunicación escrita

A **El menú.** You and your partner have been hired by an airline to plan the menus for the passengers in first class. Write a dinner menu for the flight from New York to Buenos Aires. Then present your menu to the class. The class will vote on the best menu.

B **Y ahora, un anuncio.** You and your group have been hired by *El Charro* to do a new radio commercial. Write an ad that will encourage people to go to the restaurant. Name some of the dishes and tell how delicious they are. Indicate whether the restaurant is expensive or not. Include the address and phone number, the days it opens, and the hours of operation. Polish the ad and assign one person to "broadcast" the ad to the class.

C **Puede pedir…** You and your partner own a travel agency in Montevideo. Since your clients have many questions about American food and eating customs in the U.S., prepare some guidelines about American food and customs for them. Then make suggestions about what they can order for breakfast, lunch, and dinner and describe typical dishes.

Reintegración

A **En el pasado.** Cambien al pretérito.

1. Voy a la escuela.
2. Llego a las ocho.
3. Le digo "buenos días" al profesor.
4. Aprendo algo nuevo.
5. Tomo un examen.
6. Saco una nota buena en el examen.
7. Escribo una composición.
8. Salgo de la escuela.
9. Voy al campo de fútbol.
10. Juego (al) fútbol.
11. Vuelvo a casa.
12. Como.

B **Yo no, Juan.** Cambien *yo* en *Juan* en las oraciones del Ejercicio A.

Vocabulario

SUSTANTIVOS
el restaurante
la mesa
el/la mesero(a)
el menú
la cuenta
la tarjeta de crédito
la propina

el tenedor
el cuchillo
la cuchara
la cucharita
el plato
el vaso
la taza
el platillo
el mantel

la servilleta
la comida
la carne
el biftec
el pollo
el jamón
los mariscos
el pescado
las legumbres
las verduras
los vegetales
las habichuelas
los frijoles
las frutas
la papa
la lechuga
el huevo

la tortilla
el queso
el pan
el arroz
la sal
la pimienta
el aceite

ADJETIVOS
delicioso(a)
rico(a)
malo(a)
crudo(a)

VERBOS
pedir (i,i)
servir (i,i)
freír (i,i)

repetir (i,i)
seguir (i,i)
preferir (ie, i)
dormir (ue, u)
morir (ue, u)

OTRAS PALABRAS Y
EXPRESIONES
casi crudo
a término medio
bien cocido (hecho)
tener hambre
tener sed

CAPÍTULO

16

EL CAMPING

OBJETIVOS

In this chapter you will learn to do the following:

1. describe your personal grooming habits
2. talk about your daily routine
3. describe a camping trip
4. tell some things you do for yourself
5. discuss the popularity of camping in Spain

433

PALABRAS 1

LA RUTINA

El muchacho se llama José.

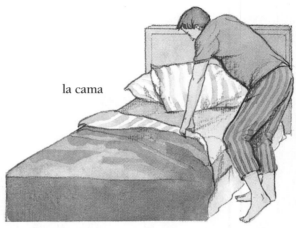

la cama

El muchacho se acuesta. Él se duerme enseguida.

el espejo

La muchacha se despierta.
Ella se levanta.

El muchacho se peina.
Se mira en el espejo.

El muchacho se lava la cara.
Él se afeita. Se afeita con la navaja.

La muchacha se lava las manos.

La muchacha se cepilla (se lava) los dientes.

El muchacho se lava el pelo.

La muchacha se viste. Se pone la ropa.

La muchacha se sienta a la mesa.
Ella se desayuna.
Toma el desayuno.

Ejercicios

A **Las actividades diarias de José.** Contesten.

1. ¿Cómo se llama el muchacho?
2. ¿Se levanta temprano el muchacho?
3. ¿Se lava la cara en el cuarto de baño?
4. ¿Se lava las manos?
5. ¿Se cepilla (se lava) los dientes?
6. ¿Se peina?
7. ¿Baja al comedor donde se sienta a la mesa?
8. ¿Dónde se desayuna (toma el desayuno)?
9. ¿Se afeita antes del desayuno o después?
10. ¿Con qué se afeita?
11. ¿Se pone la gabardina?

B **Las actividades de Elena.** Completen.

1. Elena ___ por la mañana.
2. Ella ___ la cara y las manos.
3. Ella ___ los dientes.
4. Ella ___ el pelo.
5. Ella se pone la ropa. Ella ___.
6. Esta mañana ella ___ una blusa y una falda.
7. Ella ___ a la mesa.
8. Ella ___ en la cocina.

C ¿Qué hace el muchacho? Describan.

1.

2.

3.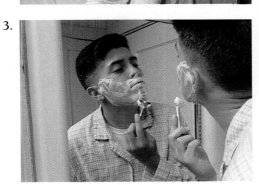

4.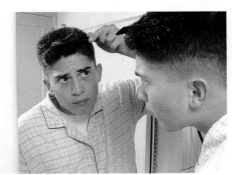

D ¿Qué hace la muchacha? Describan.

1.

2.

3.

4.

PALABRAS 2

EL CAMPING

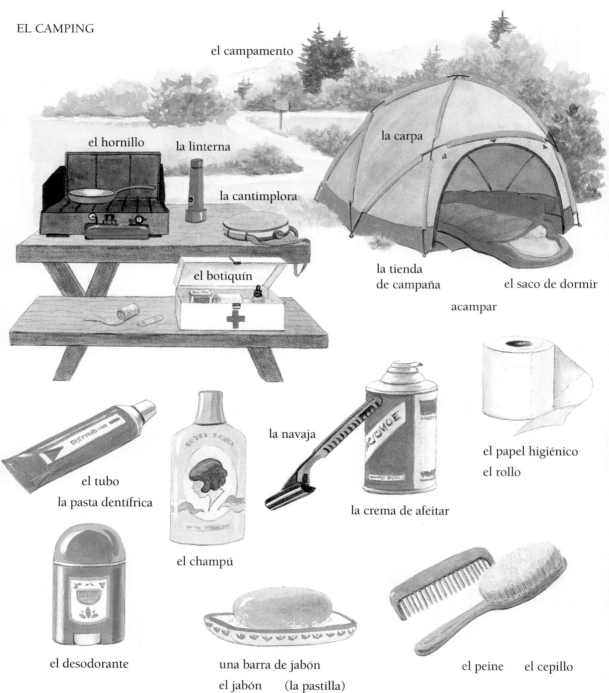

el campamento

el hornillo

la linterna

la carpa

la cantimplora

el botiquín

la tienda
de campaña

el saco de dormir

acampar

la navaja

el papel higiénico
el rollo

el tubo
la pasta dentífrica

la crema de afeitar

el champú

el desodorante

una barra de jabón
el jabón   (la pastilla)

el peine   el cepillo

el albergue juvenil

la colina

el bosque

las orillas del río

dar una caminata

Los jóvenes levantan (arman) una tienda de campaña.

Los amigos dan una caminata.
Se divierten mucho.
Lo pasan muy bien.

la ducha

Los jóvenes se bañan en el mar.
Luego, toman una ducha.

Ejercicio

A De camping. Contesten.

1. ¿Van de camping los amigos?
2. ¿Levantan una tienda de campaña?
3. ¿Preparan la comida en el hornillo?
4. ¿Se acuestan en un saco de dormir?
5. ¿Duermen en la carpa?

6. Cuando se levantan, ¿se visten?
7. ¿Qué se ponen?
8. ¿Se desayunan?
9. Luego, ¿dan una caminata por el bosque?
10. ¿Se divierten? ¿Lo pasan bien?

B La mochila. Contesten según la foto.

¿Qué ponen en la mochila?

1.

2.

3.

4.

5.

C En el cuarto de baño. Completen.

1. La muchacha va a tomar una ducha. Necesita una barra de ___.
2. El muchacho va a afeitarse. Necesita ___.
3. La muchacha quiere peinarse, pero ¿dónde está el ___?
4. Juanito quiere lavarse los dientes. ¿Dónde está ___?
5. No hay más pasta dentífrica. Tengo que comprar otro ___.
6. No hay más jabón. Tengo que comprar otra ___.
7. Siempre uso ___ para lavarme el pelo.

Comunicación

Palabras 1 y 2

A **De camping.** You and a Spanish friend (your partner) are getting ready for a camping trip in the Pyrenees. Make up a list of things you think you need to pack. Then while one reads the items on the list, the other has to decide which ones you should or shouldn't take and why.

B **La rutina diaria.** With your group, develop a series of questions about people's daily routines from morning until night. Ask what they do and at what time. After you have made up your questions, polish them and exchange your list with another group. Answer the questions given to you. When everyone has answered, get your list back and report to the class the typical time for each routine, and the "oddest" time.

C **De vacaciones.** Work with a classmate. Ask one another questions to find out what types of things you like to do on vacation. Decide if you think you would like to take a vacation together.

Los verbos reflexivos

Telling What People Do for Themselves

1. Compare the following pairs of sentences.

Elena baña al bebé.

Elena se baña.

Elena peina al bebé.

Elena se peina.

Elena mira al bebé.

Elena se mira.

In the sentences on the left, Elena performs the action. The baby receives it. In the sentences on the right, Elena both performs and receives the action of the verb. For this reason the pronoun *se* must be used. *Se* refers to Elena and is called a reflexive pronoun. It indicates that the action of the verb is reflected back to the subject.

2. Each subject pronoun has its corresponding reflexive pronoun. Study the following.

INFINITIVE	LAVARSE	LEVANTARSE
yo	me lavo	me levanto
tú	te lavas	te levantas
él, ella, Ud.	se lava	se levanta
nosotros(as)	nos lavamos	nos levantamos
vosotros(as)	os laváis	os levantáis
ellos, ellas, Uds.	se lavan	se levantan

3. In the negative form, *no* is placed before the reflexive pronoun.

> Tú *no* te lavas las manos.
> La familia Martínez *no* se desayuna en el comedor.
> *No* nos cepillamos los dientes con esa pasta dentífrica.

4. In Spanish when you refer to parts of the body and articles of clothing, you use the definite article, not the possessive adjective.

> Él se lava *la* cara.
> Me lavo *los* dientes.
> Ella se pone *la* ropa.

Ejercicios

A **¿A qué hora se levanta?** Contesten.

1. ¿A qué hora se levanta Madela?
2. ¿Se baña por la mañana?
3. ¿Se desayuna en casa?
4. ¿Se lava los dientes?
5. ¿Se pone una gabardina cuando llueve?

B **El aseo.** Preguntas personales.

1. ¿A qué hora te levantas?
2. ¿Te bañas por la mañana o tomas una ducha?
3. ¿Te lavas los dientes?
4. ¿Te peinas?
5. ¿Te miras en el espejo cuando te peinas?
6. ¿Te desayunas en casa?

C **¿Y tú?** Formen una mini-conversación según el modelo.

¿Te lavas los dientes?
Sí, me lavo los dientes.

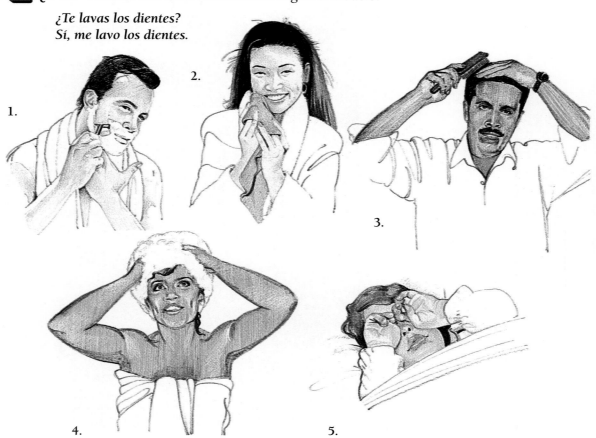

1.

2.

3.

4.

5.

D **¿Y Uds.?** Preparen una mini-conversación según el modelo.

> **Ellos se levantan a las siete.**
> *Ah, sí. ¿Y a qué hora se levantan Uds. ?*
> *Nos levantamos a las siete también.*

1. Ellos se levantan a las siete.
2. Ellos se desayunan a las siete y media.
3. Ellos se bañan a las nueve.

E **¿Cómo se llaman todos?** Contesten.

1. ¿Cómo te llamas?
2. Y tu hermano(a), ¿cómo se llama?
3. ¿Cómo se llama tu profesor(a) de español?
4. ¿Y cómo se llaman tus abuelos?
5. Una vez más, ¿cómo te llamas?

F **La apariencia.** Completen según la foto.

1. Yo
   Él
   Tú
   Ud.
2. Nosotros
   Ellos
   Uds.
   Él y yo

Los verbos reflexivos de cambio radical

Telling What People Do for Themselves

1. The reflexive verbs *acostarse*, *sentarse*, *despertarse* are stem-changing verbs. Study the following forms.

INFINITIVE	SENTARSE	ACOSTARSE	DESPERTARSE
yo	me siento	me acuesto	me despierto
tú	te sientas	te acuestas	te despiertas
él, ella, Ud.	se sienta	se acuesta	se despierta
nosotros(as)	nos sentamos	nos acostamos	nos despertamos
vosotros(as)	*os sentáis*	*os acostáis*	*os despertáis*
ellos, ellas, Uds.	se sientan	se acuestan	se despiertan

2. The verbs *dormirse*, *divertirse*, and *vestirse* are also stem-changing verbs. These verbs have a stem change in both the present and the preterite.

DORMIRSE (O > UE, U)	
me duermo	me dormí
te duermes	te dormiste
se duerme	se durmió
nos dormimos	nos dormimos
os dormís	*os dormisteis*
se duermen	se durmieron

DIVERTIRSE (E > IE, I)	
me divierto	me divertí
te diviertes	te divertiste
se divierte	se divirtió
nos divertimos	nos divertimos
os divertís	*os divertisteis*
se divierten	se divirtieron

VESTIRSE (E > I, I)	
me visto	me vestí
te vistes	te vestiste
se viste	se vistió
nos vestimos	nos vestimos
os vestís	*os vestistéis*
se visten	se vistieron

3. Many verbs in Spanish can be used with a reflexive pronoun. Often the reflexive pronoun gives a different meaning to the verb. Study the following examples.

María **pone** la blusa en la mochila.	*Mary puts the blouse in the knapsack.*
María **se pone** la blusa.	*Mary puts on her blouse.*
María **duerme** ocho horas.	*Mary sleeps eight hours.*
María **se duerme** en seguida.	*Mary falls asleep immediately.*
María **llama** a Carlos.	*Mary calls Carlos.*
Ella **se llama** María.	*She calls herself Mary. (Her name is Mary.)*
María **divierte** a sus amigos.	*Mary amuses her friends.*
María **se divierte.**	*Mary amuses herself. (Mary has a good time.)*

Ejercicios

A **Me duermo en seguida.** Preguntas personales.

1. ¿Duermes en una cama o en un saco de dormir?
2. Cuando te acuestas, ¿te duermes en seguida?
3. Y cuando te despiertas, ¿te levantas en seguida?
4. ¿Te sientas a la mesa para tomar el desayuno?
5. Luego, ¿te vistes?
6. ¿Qué te pones?
7. ¿Te diviertes en la escuela?

B **Duermo ocho horas.** Completen.

1. Cuando yo ___, yo ___ en seguida. (acostarse, dormirse)
2. Cada noche yo ___ ocho horas. (dormir)
3. Yo ___ a las once y ___ a las siete de la mañana. (acostarse, levantarse)
4. Cuando yo ___, ___ en seguida. (despertarse, levantarse)
5. Pero cuando mi hermana ___, ella no ___ en seguida. (despertarse, levantarse)
6. Y mi hermano, cuando él ___, él no ___ en seguida. Él se pasa horas dando vueltas en la cama. (acostarse, dormirse)
7. Así él ___ solamente unas seis horas. (dormir)
8. Cuando nosotros ___, todos ___ en seguida. (levantarse, vestirse)

C **Anoche también.** Den el pretérito.

1. Él se viste elegantemente.
2. Ellos se divierten.
3. Nosotros nos divertimos también.
4. Yo me acuesto tarde.
5. Y yo me duermo en seguida.
6. ¿Te duermes en seguida cuando te acuestas?

CONVERSACIÓN

Escenas de la vida ¿A qué hora te despertaste?

CARLOS: Mariluz, ¿a qué hora te despertaste esta mañana?
MARILUZ: ¿Quieres saber a qué hora me desperté o a qué hora me levanté?

CARLOS: Pues, ¿cuándo te levantaste?
MARILUZ: Me levanté tarde, a las siete y media. Me vestí y no me desayuné antes de salir para la escuela.

CARLOS: ¿Llegaste tarde a la escuela?
MARILUZ: No, llegué a tiempo porque me di mucha prisa.

Me di prisa. Contesten.

1. ¿A qué hora se despertó Mariluz?
2. ¿Se levantó en seguida?
3. ¿Se vistió rápido?
4. ¿Se desayunó antes de salir para la escuela?
5. ¿Se dio prisa?
6. ¿Llegó a tiempo o tarde a la escuela?

Pronunciación *Los diptongos*

1. The vowels **a**, **e**, and **o** are considered strong vowels in Spanish; **u** and **i** (and **y**) are weak vowels. When two strong vowels occur together, they are pronounced separately as two syllables. Note the following.

real	re-al
paseo	pa-se-o
caer	ca-er
leer	le-er

2. When two weak vowels or one weak and one strong vowel occur together, they blend together and are pronounced as one syllable. These are called diphthongs. Repeat the following words.

a	e	i	o	u
aire	*veinte*	*media*	*hoy*	*cuatro*
aula	*Europa*	*diez*	*voy*	*pueblo*
hay		*cuidado*		
		ciudad		

Repeat the following sentences.

Hay seis autores en el aula.   **Luis tiene miedo.**
Julia pronuncia bien.   **Luisa tiene cuidado cuando viaja por Europa.**
Voy a la ciudad hoy.   **Luego voy al pueblo antiguo.**

Comunicación

A **¿Por qué no vas a…?** Tell your partner what you want to do. Your partner will suggest where you should go for each one. Reverse roles.

> **ir de camping**
> Estudiante 1: Quiero ir de camping.
> Estudiante 2: ¿Por qué no vas a un camping en las montañas?

1. comer pizza
2. ver una película
3. nadar
4. jugar tenis
5. ir de compras
6. hablar por teléfono

B **Todos los días.** You and your partner will each make a list of your daily activities. Then put them in a logical order. Compare your lists and see how many activities you do at the same time. Report to the class.

EN UN CAMPING DE ESPAÑA

¡Hola! Me llamo Eduardo Bastida Iglesias. Soy de Pamplona, en el norte de España. Hace frío en Pamplona en el invierno. Aun en el verano hace un poco de fresco. En agosto mis padres tienen vacaciones y como muchas familias españolas de la clase media vamos de camping. En comparación con las tarifas de los hoteles, el camping es bastante económico y divertido al mismo tiempo[1].

Para pasar las vacaciones nosotros vamos al sur donde hace más calor. Por todo lo largo de la costa del Mediterráneo hay campings o campamentos. Pero el camping es muy popular y es necesario hacer una reservación, sobre todo en agosto.

Cuando llegamos al camping cerca de Alicante en la costa oriental, levantamos una tienda de campaña. El camping está en una colina. Desde la colina hay una vista magnífica del mar, el cual no está muy lejos. Por la mañana me levanto temprano, me desayuno con una taza de chocolate y unos churros[2] que compramos en el "supermercado" del camping. Me pongo un T shirt, un pantalón corto y los tenis y salgo a dar una caminata por los pinares o bosques de pinos. A veces voy en mi bicicleta a Elche donde hay un bosque de palmeras que dan dátiles. Los dátiles de Elche son famosos en el mundo entero.

Por la tarde, cuando hace mucho calor me baño en el Mediterráneo. De noche me preparo una buena tortilla de gambas[3]. Luego voy a la plaza con mis amigos donde nos sentamos en la terraza de un café y miramos a la gente que pasa.

[1] al mismo tiempo   *at the same time*
[2] churros   *a type of doughnut*
[3] gambas   *shrimp (in Spain)*

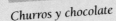

Churros y chocolate

Una playa en Alicante, España

Estudio de palabras

A ¿Cuál es la palabra? Busquen en la lectura la palabra que quiere decir lo siguiente.

1. ni mucho calor ni mucho frío
2. el precio de una habitación en un hotel
3. que le permite divertirse
4. las orillas del mar
5. del este
6. una elevación en la tierra
7. una fruta
8. un bosque de pinos

B Lo contrario. Busquen lo contrario.

1. hola
2. el verano
3. el frío
4. económico
5. el norte
6. occidental
7. cerca
8. temprano
9. ceno
10. nos levantamos

a. el sur
b. nos sentamos
c. el invierno
d. oriental
e. me desayuno
f. adiós
g. tarde
h. el calor
i. lejos
j. caro, costoso

Comprensión

A Eduardo Bastida. Contesten.

1. ¿Cómo se llama el muchacho que nos habla?
2. ¿De dónde es él?
3. ¿Qué tienen sus padres?
4. ¿Adónde van?
5. ¿Dónde está el camping?
6. ¿Cómo es el camping en España?
7. ¿Desde dónde hay una vista del mar?
8. ¿Qué toma Eduardo para el desayuno?
9. ¿Qué se pone?
10. Y luego, ¿qué hace?

CAMPING/CABAÑAS
LAS DUNAS DE GUANAQUEROS

22 CABAÑAS
CABAÑAS DE 6 A 10 PERSONAS
HABITACIONES EN SUITES
TELÉFONO DIRECTO, TV. COLOR
CON SISTEMA SATELITAL
COCINA, BARBACOA, PÉRGOLA,
TERRAZAS
SERVICIO DE CAMARERA
UBICADAS A 50 MTS. DEL MAR
ESTACIONAMIENTOS

27 SITIOS DE CAMPING
BAÑOS CON AGUA CALIENTE
MESAS, SILLAS, CORRIENTE ELÉCTRICA, BARBACOA
RESTAURANT, DISCOTECA
EMBARCADERO EN LA PLAYA JUNTO A 7 KMS.
DE PLAYA
SUPERMERCADO

RESERVA AL 391135 - 391282 - GUANAQUEROS
MENDOZA 290317 - AV. SAN MARTÍN 1035 - 2º PISO

B Informes. Identifiquen.

1. el nombre de una ciudad del norte y una ciudad del sur de España
2. el nombre de la familia del padre y de la madre de Eduardo
3. el nombre de una región de España famosa por sus dátiles
4. dos tipos de árboles

C Un descubrimiento. In this reading selection a very popular Spanish pastime is referred to. What is it?

DESCUBRIMIENTO CULTURAL

En los Estados Unidos, cuando queremos comprar artículos de tocador o cosméticos, por lo general, vamos a una farmacia. En muchas farmacias de los países hispanos, no venden cosméticos. En la farmacia sólo venden o despachan medicamentos. Para comprar desodorante, talco, jabón, perfume o agua de colonia la gente va a una perfumería o droguería. Pero hoy día, sobre todo en las grandes ciudades, hay más y más farmacias que venden artículos de tocador. Igual que nuestros *"drug stores"* tienen también una sección farmacéutica.

En España hay más de 550 campings. El camping es muy popular, sobre todo entre familias con niños y entre los jóvenes que viajan por el país con su mochila o en bicicleta.

En España hay también albergues juveniles[1] donde pasan o pueden pasar la noche los turistas jóvenes. Pero la verdad es que los albergues juveniles son menos populares en España que en otros países europeos. ¿Por qué? Porque en España hay muchas pensiones, casas de huéspedes[2] o pequeños hoteles que son bastante económicos, es decir no muy caros. Pero la verdad es que los precios están subiendo mucho. Hoy en día España no es un destino turístico muy económico.

Eduardo nos dice que por la mañana él se desayuna. Toma una taza de chocolate y unos churros que son un tipo de *"doughnut"* español frito. En España, el desayuno no es una comida grande—sólo se toma chocolate o café con leche con pan y se come con mermelada o churros. Para describir el desayuno que tomamos muchos de nosotros, los españoles dicen, "desayuno americano o inglés". El desayuno americano incluye jugo, o como dicen en España zumo de naranja, huevos, jamón o tocino[3], pan tostado y café. Y los huevos, ¿cómo? ¿Fritos, revueltos[4], pasados por agua o duros?

UTILIZA
LOS CAMPINGS
AUTORIZADOS

CUIDA TU ENTORNO
ES DE TODOS

PROHIBIDO EL CAMPISMO LIBRE

La fiesta de San Fermín

Y AQUÍ EN LOS ESTADOS UNIDOS

En los barrios latinos de los Estados Unidos mucha gente visita a los herbolarios. Los herbolarios son personas que hacen preparaciones de hierbas para curar una variedad de males o enfermedades. Para cada enfermedad preparan una hierba específica. La gente generalmente hace un tipo de té con las hierbas y lo toma. La palabra "herbolario" se refiere a la persona y a la tienda. A los herbolarios también se llaman botánicas.

Eduardo nos dice que es de Pamplona. Pamplona es una ciudad famosa de España. ¿Por qué? Porque sus ferias y fiestas de San Fermín tienen mucha fama. Los jóvenes corren delante de los toros por las calles de Pamplona. El día de San Fermín es el siete de julio. Ernest Hemingway escribió mucho sobre los "sanfermines". San Fermín es el santo patrón de la ciudad de Pamplona.

¹ albergues juveniles   *youth hostels*
² casas de huéspedes   *guest houses*
³ tocino   *bacon*
⁴ revueltos   *scrambled*

REALIDADES

Es un camping en España **1**. ¿Te gusta el camping? ¿Te diviertes cuando vas de camping?

El camino Tepui de Venezuela **2**. ¿Quieres dar una caminata por ese camino?

Es un hostal en España **3**. Los hostales son bastante económicos.

Estas palmeras de Elche dan unos dátiles deliciosos **4**.

La Dama de Elche es un famoso busto representativo del arte iberofenicio **5**. Lo encontraron en Elche en 1897.

CAMPING
VERNEDA
VALL D'ARAN

RECEPCION ★ CAMPING ★ SUPER

5

4

Comunicación oral

A **¿Siempre o nunca?** When or where do your always (or never) do these things? Tell your partner and then your partner will tell you.

> lavarse las manos
> **Siempre me lavo las manos antes de comer.**

1. mirarse en el espejo
2. cepillarse los dientes
3. ponerse el traje de baño
4. vestirse elegantemente
5. acostarse tarde
6. levantarse temprano

B **En el camping.** Discuss with a classmate the routine for a camping trip. Take turns deciding at what time the two of you will do the following.

> despertarse   tomar el almuerzo
> levantarse   dar una caminata
> desayunarse   estudiar
> cenar   acostarse

C **¡Ridículo!** Ask your partner why he or she did or did not do the following things. See who can come up with the weirdest reasons. Reverse roles.

> vestirse elegantemente
> Estudiante 1: ¿Por qué te vestiste elegantemente?
> Estudiante 2: Porque voy a jugar al fútbol.

1. levantarse tarde
2. cepillarse los dientes
3. mirarse en el espejo
4. sentarse a la mesa
5. desayunarse
6. lavarse las manos
7. acostarse temprano

Hostal Maestre
✳ ✳

HABITACIONES CON Y SIN BAÑO

ROMERO BARROS, 16
(JUNTO A PLAZA DEL POTRO)
TELÉF. 475395

14003 CÓRDOBA

Comunicación escrita

A **Un anuncio.** Your group has been asked to do another radio ad. This time it's for a toy doll (*muñeca*) that can do all these things:

1. wake up in the morning
2. wash its face and hands
3. brush its teeth
4. dress itself
5. comb its own hair
6. say "mama"

In your ad give the price and say where the doll can be bought. Polish the ad and appoint an "announcer" to broadcast it to the class.

B **Una vez fui…** Did you ever go to camp or spend a night at a friend's house? Try to remember how you spent that one day or invent it. Write an entry for your diary telling in detail what you did from morning to night, and include the time that you did it.

> El sábado en casa de Daniel.
> A las siete de la mañana, Daniel me despertó.
> Nos cepillamos los dientes y nos vestimos.
> A las siete y media nos desayunamos.
> Comí huevos y pan. A las…

C **Fuimos de camping.** Susana and her friends love to take vacations. Once they went together to the beach, once they took a ski trip, and once they went camping. Write a paragraph about each one of their vacations.

Reintegración

■ **En el coche-comedor.** Contesten con *sí.*

1. ¿Hizo Elena un viaje en tren?
2. ¿Fue un viaje largo?
3. ¿Comió Elena en el tren?
4. ¿Fue al coche-comedor?
5. ¿Le dio el menú el mesero?
6. ¿Qué pidió Elena?
7. ¿Le sirvió el mesero?
8. ¿Le gustó la comida a Elena?
9. ¿Le dio buen servicio el mesero?
10. ¿Le dejó una propina Elena?

Vocabulario

SUSTANTIVOS
el botiquín
el tubo
la pasta dentífrica
la barra
la pastilla
el jabón
el champú
el desodorante
la crema de afeitar
la navaja
el rollo
el papel higiénico
el peine
el cepillo
el espejo

el cuarto de baño
la ducha
los dientes
el pelo
la cara
el camping
el campamento
la tienda de campaña
la carpa
el saco de dormir
la cama
el hornillo
la linterna
la cantimplora
el bosque
la colina

la orilla
el río
el mar
el albergue juvenil
la pensión

VERBOS
llamarse
despertarse (ie)
levantarse
lavarse
bañarse
afeitarse
peinarse
cepillarse
vestirse (i,i)
ponerse

sentarse (ie)
desayunarse
acostarse (ue)
dormirse (ue, u)
divertirse (ie, i)
mirarse
acampar

OTRAS PALABRAS Y
EXPRESIONES
ir de camping
armar una tienda
dar una caminata
tomar una ducha

This article comes from *MÁS*, a Spanish language magazine published in the United States.

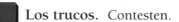

SABOR

AL DIA CON Más SABOR

TRUCOS CULINARIOS

Si a su hijo no le gustan los vegetales pruebe a convertirlos en puré. La zanahoria, las espinacas o los puerros son mucho más apetitosos si se convierten en cremas, mezclados con papas, y se colocan en moldecitos.

◆ Acostumbre a su hijo a beber jugos naturales de frutas y de vegetales. Además de la naranja, es saludable que aprenda a tomar jugo de tomate, zanahoria o pepino sin asombrarse.

◆ La pasta es ideal para engañar visualmente al niño, porque puede complementarla con alimentos que de otra forma no comería, como brócolis, zanahorias, guisantes, pimientos, etc.

Los trucos. Contesten.

1. What section of the magazine do you think it comes from?
2. To whom is it directed?
3. The following words are almost the same in English: *puré, moldecitos (moldes), cremas, pastas.* What do you think they mean?
4. Why are they suggesting that you put *zanahorias y espinacas en cremas con papas, y en moldecitos?*
5. Whom are they trying to trick?
6. What are the less common juices that they suggest serving?
7. In what category do almost all the foods mentioned belong?
8. What do most of these foods have in common, aparently everywhere?
9. How many of the foods can you identify?
10. What is the main message of the article?

This article about railroads is from the Madrid newspaper ABC.

La estadounidense Amtrak interesada en la compra de varias unidades del Talgo pendular

La empresa estatal de ferrocarriles norteamericanos, Amtrak, está interesada en la compra de entre 10 y 20 unidades del Talgo pendular para realizar la conexión Boston-Nueva York, según informaron directivos de la compañía americana. En una prueba entre Boston y Nueva York un Talgo cubrió los 364 kilómetros de distancia en dos horas y cincuenta minutos, frente a las cuatro horas que se requieren actualmente.

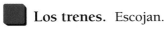 **Los trenes.** Escojan.

1. What is the name of the potential buyer?
   a. Talgo
   b. The Boston and New York Co.
   c. Amtrak

2. What is the company interested in buying?
   a. the entire Spanish Railroad system
   b. 10-20 shares in Spanish Railroads
   c. a number of special trains

3. How long does the Boston-New York run take at present?
   a. 2 hours and 50 minutes
   b. 3 hours and 14 minutes
   c. 4 hours

4. About how much time could be cut from the schedule with the new equipment?
   a. 24 minutes
   b. 1 hour and 10 minutes
   c. 3 hours and 14 minutes

5. What does *una empresa estatal* probably refer to?
   a. government pressure
   b. a state-owned corporation
   c. a stationary object

6. What is it most likely that the Talgo is?
   a. a railroad company
   b. a high-speed train
   c. an investment company

CAPÍTULOS 13–16

Conversación *De compras*

SEÑORITA: Hice este viaje a la ciudad para comprar equipo de camping. No me gusta perder el tiempo. Estuve aquí el año pasado y no pude encontrar nada.

VENDEDOR: Es verdad. Yo le serví.

SEÑORITA: Pues, tuve que venir otra vez porque en mi pueblo no pude encontrar lo que necesito.

En la tienda. Contesten.

1. ¿Dónde está la señorita?
2. ¿Dónde vive ella?
3. ¿Para qué hizo el viaje a la ciudad?
4. ¿Cuándo estuvo ella en la tienda?
5. ¿Qué no le gusta hacer?
6. ¿Por qué tuvo que venir otra vez?

CAMPING, EL _____

El Camping

Exposición, venta y alquiler
Equipos completos de camping
Remolques y tiendas - Accesorios
Taller de reparaciones

28020 MADRID
Bravo Murillo, 118
☎ **235 48 67 - 235 96 45**
28002 - Francisco Campos, 25
☎ **260 03 93 - 260 61 33**

Estructura

Los verbos *interesar, gustar, molestar, encantar*

1. Remember that the verbs *interesar, molestar,* and *enojar,* are usually used with an indirect object pronoun.

   > **Ese libro *me* interesa.**
   > **Juan *nos* molesta.**
   > **Esos vestidos *te* encantan, ¿verdad?**

2. *Gustar* is also used with an indirect object pronoun.

   > **Me gusta la película.** *The movie pleases me. (I like the movie.)*

 **¿Qué te gusta?** Completen.

1. A mis amigos no ___ jugar golf. (gustar)
2. A ellos ___ más el tenis. (interesar)
3. Yo creo que el tenis es aburrido. ___ tener que jugar todos los días. (molestar)
4. A mi hermana y yo ___ la plancha de vela. (encantar)
5. ¿Cuál es tu deporte favorito? ¿ ___ más el tenis o el golf? (gustar)

El pretérito de los verbos irregulares

Review the preterite forms of these irregular verbs.

hacer	hice, hiciste, hizo, hicimos, *hicisteis*, hicieron
querer	quise, quisiste, quiso, quisimos, *quisisteis*, quisieron
venir	vine, viniste, vino, vinimos, *vinisteis*, vinieron
estar	estuve, estuviste, estuvo, estuvimos, *estuvisteis*, estuvieron
andar	anduve, anduviste, anduvo, anduvimos, *anduvisteis*, anduvieron
tener	tuve, tuviste, tuvo, tuvimos, *tuvisteis*, tuvieron
poder	pude, pudiste, pudo, pudimos, *pudisteis*, pudieron
poner	puse, pusiste, puso, pusimos, *pusisteis*, pusieron
saber	supe, supiste, supo, supimos, *supisteis*, supieron

B **De viaje.** Completen.

Ramón y Teresa ____ (querer) venir anoche,
                    1
pero no ____ (poder). Así es que Paco y
          2
yo ____ (hacer) el viaje al pueblo de Ramón
     3
y Teresa. No ____ (poder) viajar juntos.
               4
Yo ____ (tener) que viajar en tren y Paco
     5
____ (tener) que tomar un bus. Yo ____
  6   7
(estar) en la estación muy temprano. Yo
me ____ (poner) un poco nervioso porque
     8
no vi a nadie en el andén. Pero el tren
llegó a tiempo.

El pretérito de los verbos con el cambio *e* > *i* y del verbo *dormir*

1. Certain verbs undergo a stem change *e* > *i*, *o* > *u* in the third person—*él/ella/Ud.* and *ellos/ellas/Uds.*—forms in the preterite.

pedir	pedí, pediste, pidió, pedimos, *pedisteis*, pidieron

dormir	dormí, dormiste, durmió, dormimos, *dormisteis*, durmieron

2. Other verbs like *pedir* are: *reír, repetir, servir, seguir,* and *preferir.*

C **Les servimos.** Cambien *yo* en *Ud.* y *nosotros* en *Uds.*

1. Yo pedí un biftec.
2. Yo freí el biftec.
3. Yo serví el biftec al cliente.
4. Nosotros les servimos a todos los clientes.
5. Seguimos trabajando en el comedor hasta las once.
6. Preferimos terminar temprano.

D **En el restaurante mexicano.** Contesten.

1. ¿Quién pidió tacos, tú o tu amigo?
2. ¿Quién pidió enchiladas?
3. ¿Sirvieron las enchiladas con mucho queso?
4. ¿Pediste arroz y frijoles también?
5. ¿Frió el cocinero los frijoles?
6. ¿Sirvió el mesero ensalada con la comida?
7. Después de comer, ¿dormiste?
8. ¿Durmió tu amigo?

Los verbos reflexivos

1. Remember, with reflexive verbs, the subject and the object are the same person.

   Yo me lavo.   **Ella se peina.**

2. Review the reflexive pronouns with their corresponding subject pronoun.

vestirse	me visto, tú te vistes, se viste, nos vestimos, *os vestís*, se visten
lavarse	me lavo, te lavas, se lava, nos lavamos, *os laváis*, se lavan

E **¿Cuándo se levantan?** Preguntas personales.

1. ¿A qué hora te levantas?
2. ¿Quién(es) en tu familia se afeita(n)?
3. ¿Cómo se llaman tus padres?
4. ¿Dónde te cepillas los dientes?
5. ¿A qué hora se desayunan Uds.?

F **La rutina.** Preguntas personales.

1. ¿Te acostaste tarde o temprano anoche?
2. ¿Te dormiste en seguida?
3. ¿A qué hora te despertaste esta mañana?
4. ¿Te vestiste antes de desayunar?
5. ¿Quiénes se sentaron a la mesa para comer?

Comunicación

A **De camping.** Tell the class what you prepared and ate on a camping trip, real or imagined. The class will ask you questions about your trip.

B **No tengo ropa.** You and a classmate play the roles of a clothing store clerk and a client in to buy a new wardrobe. Tell the clerk what items you want to buy, the color, and how much you want to spend.

C **¿Quién soy?** Divide the class in groups of four. Each of you has a turn pretending you are a world famous athlete. The rest of the group has to guess who you are. They will ask questions about what sport you played; where and when you played; your family; your education; your travels; other things you did. Take turns so that everyone has a chance to play "superstar."

CIENCIAS: LA MEDICINA

Antes de leer

The advances in medical science in the last hundred years have resulted in a life expectancy and quality of life undreamed of before the 19th century. The study and practice of medicine, however, goes back thousands of years. In the reading that follows you will learn about some major figures in the early history of medicine. In preparation, please familiarize yourself with:

1. the Hippocratic oath
2. Claudius Galeno
3. William Harvey
4. André Vesalio

Lectura

Hasta la Edad Media, la medicina se basaba casi exclusivamente sobre los preceptos de los médicos griegos Hipócrates y Galeno. Hoy, en español, es común referirse a un médico como un "galeno".

Hipócrates vivió entre 460 y 377 antes de Cristo. Él viajó por toda Grecia y Asia Menor, y finalmente se instaló en Cos. Él recomendaba los tratamientos simples que permiten obrar a la naturaleza. Él practicaba la cirugía, una de las ramas[1] de la medicina más avanzada en Grecia. La patología de Hipócrates se basaba en la alteración de los humores, teoría que subsistía hasta la Edad Media: el equilibrio entre la sangre, la linfa, la bilis amarilla y la bilis negra, constituía la salud; la falta o el exceso de una de ellas constituía la enfermedad. Hipócrates escribió el *Corpus Hippocraticum*. Hoy los médicos siguen tomando el juramento hipocrático que remonta siglos.

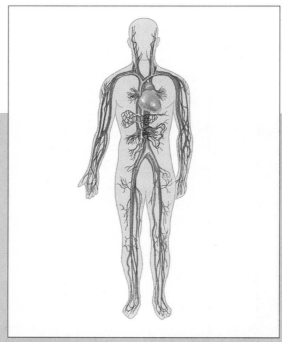

El sistema circulatorio

Claudio Galeno vivió en el siglo II antes de Cristo. Es un médico griego que ejerce la medicina en Pérgamo y en Roma. Él también, como Hipócrates, se subscribe a la teoría de los humores. Gracias a las disecciones de animales, él hace importantes hallazgos[2] en anatomía, en particular sobre el sistema nervioso y el corazón.

La medicina moderna se debe a un anatomista belga, André Vesalio, médico de Carlos V y Felipe II. Vesalio estudia la medicina en Lovaina y en Italia. En 1544 pasa al servicio de Carlos V. Vesalio ataca las teorías de los antiguos en un tratado titulado *De Corporis Humani Fabrica, La estructura del cuerpo humano.* Lo acusaron de haber hecho una desección sobre un hombre agonizante y, por eso, lo obligaron a hacer un peregrinaje[3] a Tierra Santa. Murió durante una tempestad en el viaje de regreso. Es a Vesalio a quien se deben las ciencias de la anatomía—el estudio de la estructura del cuerpo humano—y de la fisiología—el estudio de las funciones del organismo humano, tales como la nutrición, la motricidad, la sensación y la percepción.

Un español, Miguel Servet, en el siglo XVI, expone la teoría de la circulación de la sangre[4]. En 1628, el médico británico William Harvey escribe un tratado en el que describe en detalle la circulación sistémica y la circulación pulmonar de la sangre. Más tarde, la anatomía y la fisiología progresan dramáticamente gracias a técnicas modernas, tales como el endoscopio, que permite examinar el cuerpo.

William Harvey

[1] ramas *branches*
[2] hallazgos *findings*
[3] peregrinaje *pilgrimage*
[4] sangre *blood*

Después de leer

A Hipócrates. Contesten.

1. ¿De dónde son Hipócrates y Galeno?
2. ¿Qué es un "galeno"?
3. ¿Qué clase de tratamientos recomendaba Hipócrates?
4. ¿Cuáles son tres funciones del organismo humano?

B Los médicos. Escojan.

1. Una de las especialidades de Hipócrates fue ___.
   a. la patología b. la cirugía
   c. la bilis
2. En tiempos de Hipócrates la sangre, la linfa y la bilis se llamaban ___.
   a. humores b. tratamientos
   c. enfermedades
3. El estudio de la estructura del cuerpo humano es ___.
   a. la disección b. la anatomía
   c. enfermedades
4. El "padre" de la anatomía y fisiología modernas es ___.
   a. Hipócrates b. Galeno
   c. Vesalio
5. El médico que expone, inicialmente, la idea de la circulación de la sangre es ___.
   a. español b. griego c. inglés
6. El que describió precisamente la circulación pulmonar de la sangre es ___.
   a. español b. griego c. inglés

C Seguimiento. Contesten.

1. ¿Qué dice el *Juramento hipocrático*?
2. Explique por qué Vesalio tuvo que ir a Tierra Santa.
3. Describa el "endoscopio" y lo que hace.

LA SOCIOLOGÍA

Antes de leer

Look up the definitions of culture and subculture.

Lectura

Los sociólogos identifican variedades dentro de una cultura. A estas variedades les damos el nombre de subcultura. Una subcultura es un segmento de la sociedad que tiene unas costumbres y unos valores diferentes de los de la sociedad mayor. Los miembros de una subcultura forman parte de la cultura dominante. Pero al mismo tiempo muestran un comportamiento distinto y especial.

Una de las subculturas más importantes es la subcultura de los adolescentes. En los EE. UU., por razones educacionales y económicas, los adolescentes no entran en el estado de adulto hasta más tarde que en otras sociedades. La sociedad segrega a los adolescentes en escuelas superiores y universidades. Como todo el mundo, ellos están buscando una identidad. Adoptan la última moda de su grupo: la música, los ídolos de la canción o del cine, una ropa particular, una forma de peinarse, un habla especial, hasta las preferencias en la comida. La moda "punk", que se vio en Europa igual que en América, es un ejemplo. Los T shirt, los jeans y las camisas de deporte, especialmente las que llevan emblemas de universidades norteamericanas, son el uniforme de los jóvenes en todas partes. Nadie se pone zapatos. Los jóvenes se ponen tenis o zapatillas de baloncesto. El "rock", el "heavy metal" y el "rap" se oyen igual en Madrid que en Roma, Londres o Nueva York. Y allí también sirven pizza, hamburguesas, Coca Cola y papas fritas a los clientes jóvenes en restaurantes norteamericanos de comida rápida.

Otras subculturas se basan en la etnicidad, en la región geográfica, en la profesión, o en los intereses de los miembros.

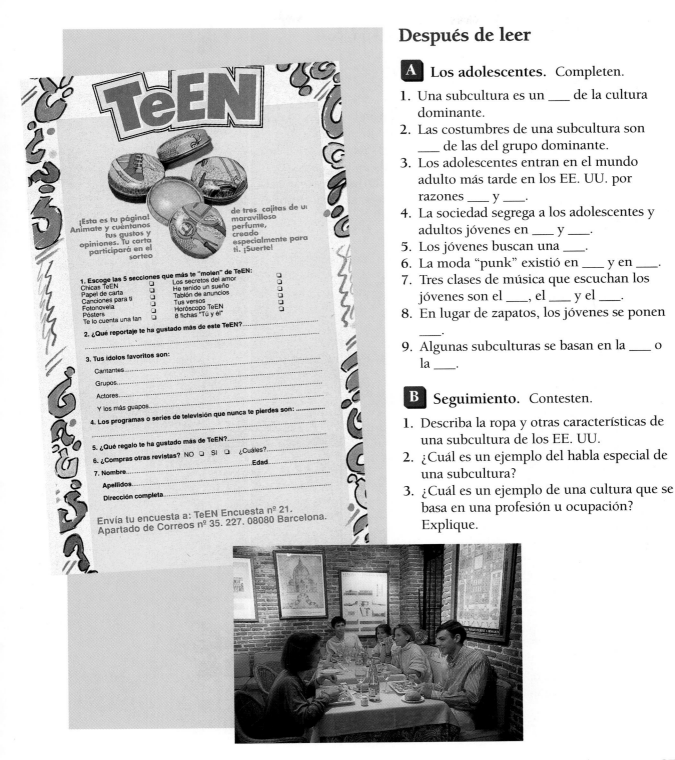

Después de leer

A **Los adolescentes.** Completen.

1. Una subcultura es un ___ de la cultura dominante.
2. Las costumbres de una subcultura son ___ de las del grupo dominante.
3. Los adolescentes entran en el mundo adulto más tarde en los EE. UU. por razones ___ y ___.
4. La sociedad segrega a los adolescentes y adultos jóvenes en ___ y ___.
5. Los jóvenes buscan una ___.
6. La moda "punk" existió en ___ y en ___.
7. Tres clases de música que escuchan los jóvenes son el ___, el ___ y el ___.
8. En lugar de zapatos, los jóvenes se ponen ___.
9. Algunas subculturas se basan en la ___ o la ___.

B **Seguimiento.** Contesten.

1. Describa la ropa y otras características de una subcultura de los EE. UU.
2. ¿Cuál es un ejemplo del habla especial de una subcultura?
3. ¿Cuál es un ejemplo de una cultura que se basa en una profesión u ocupación? Explique.

LITERATURA

Antes de leer

Epic poetry deals with the adventures, conquests and exploits of national heroes. Epic poems constitute the first European literature: Homer's *Iliad* and *Odyssey*, the *Sagas* of the Norse peoples, England's *Beowulf*, the *Chanson de Roland* of France. The authors of most of the early epic poems are unknown. Not so with *La Araucana*, the epic of Spanish America. In preparation, please read a brief biography of Alonso de Ercilla y Zúñiga, and the major events in the conquest of Chile by Pedro de Valdivia.

Lectura

El poema épico de la literatura hispano-americana es *La Araucana*. Ya sabemos que la mayoría de los autores de los poemas épicos europeos son anónimos. No es así con *La Araucana*. Lo escribió Alonso de Ercilla, un soldado español que luchó en la conquista de Chile durante el siglo XVI contra los araucanos, una raza de indios fuerte y valiente. Al principio los españoles fueron victoriosos, pero los araucanos no quisieron aceptar la idea de vivir bajo el dominio de un poder extranjero[1].

Un día habló Colocolo, su jefe[2]:
—Soy un hombre viejo. La lucha contra los españoles es difícil. Necesitamos otro jefe, no un viejo como yo. Necesitamos un joven fuerte. Aquí tengo el tronco de un árbol. El hombre que por más tiempo soporte el tronco en los hombros va a ser nuestro nuevo jefe.

Se levantaron algunos jóvenes. Cada uno levantó el tronco y lo puso en sus hombros. Luego se levantó Lincoya. Él soportó el tronco por veinte y cuatro horas. ¡Tiene que ser Lincoya el nuevo jefe! Pero después se presentó Caupolicán, un joven fuerte y severo. Levantó el tronco. Anduvo, anduvo, anduvo. Pasaron más de veinte y cuatro horas, y finalmente tiró el tronco al suelo con gran ceremonia. Todos vinieron a recibir a su nuevo jefe.

Alonso de Ercilla

Empezó de nuevo la batalla con los españoles. Los campos verdes se pusieron rojos. Los araucanos ganaron una gran victoria. Capturaron a Valdivia, el capitán español. Pero continuaron las batallas, y por fin los españoles capturaron a Caupolicán y también a su esposa, Fresia. Fresia, con su infante en los brazos, le gritó a su marido que no quería ser la esposa de un hombre cautivo³. Así el gran jefe de los indios sufrió un insulto severo. Unos días después, los españoles lo torturaron, y por fin lo mataron. Así terminó otra guerra cruel.

¹ extranjero *foreign power*
² jefe *leader*
³ cautivo *captured*

AMÉRICA DEL SUR

CHILE

Después de leer

A Los araucanos. Contesten.

1. ¿Quién fue el viejo jefe de los araucanos?
2. Describa a los araucanos.
3. ¿Qué no quisieron aceptar los araucanos?
4. ¿En qué consistió la prueba para elegir un nuevo jefe?
5. ¿Por cuánto tiempo llevó el tronco Lincoya?
6. ¿Quién llevó el tronco por más tiempo?
7. ¿A quién capturaron los araucanos?
8. ¿Quiénes capturaron a Caupolicán?
9. ¿Qué le hicieron a Caupolicán?
10. ¿Qué no quería Fresia?

B Seguimiento. Escriban.

1. Write, in Spanish, a biographical sketch of Pedro de Valdivia.
2. Tests of strength or valor are common in epics. What others can you think of?
3. Describe the "severe insult" suffered by Caupolicán.
4. Discuss the treatment of Caupolicán by his captors.

APÉNDICES

471

MAPAS

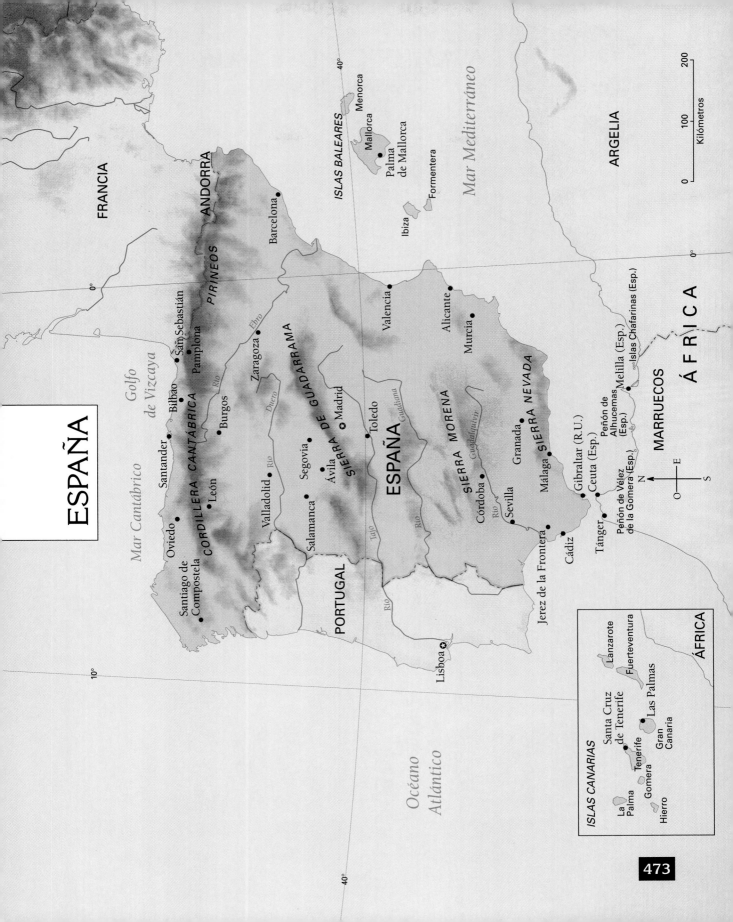

ESPAÑA

FRANCIA

ANDORRA

PIRINEOS

Golfo
de Vizcaya

Mar Cantábrico

Océano
Atlántico

CORDILLERA CANTÁBRICA

Santiago de
Compostela

Oviedo

Santander

Bilbao

San Sebastián

Pamplona

León

Burgos

Zaragoza

Río Ebro

Río Duero

Valladolid

Salamanca

Segovia

SIERRA DE GUADARRAMA

Ávila

Madrid

Toledo

Río Tajo

PORTUGAL

Lisboa

ESPAÑA

Barcelona

ISLAS BALEARES

Menorca

Mallorca

Palma
de Mallorca

Formentera

Ibiza

Mar Mediterráneo

Valencia

Alicante

Murcia

SIERRA NEVADA

Granada

Málaga

SIERRA MORENA

Río Guadiana

Río Guadalquivir

Córdoba

Sevilla

Jerez de la Frontera

Cádiz

Tánger

Gibraltar (R.U.)

Ceuta (Esp.)

Peñón de Vélez
de la Gomera (Esp.)

Peñón de
Alhucemas
(Esp.)

Melilla (Esp.)

Islas Chafarinas (Esp.)

MARRUECOS

ARGELIA

ÁFRICA

N
O E S

200

100

0

Kilómetros

40°

0°

0°

10°

40°

ISLAS CANARIAS

La
Palma

Gomera

Hierro

Tenerife

Santa Cruz
de Tenerife

Lanzarote

Fuerteventura

Las Palmas

Gran
Canaria

ÁFRICA

LA AMÉRICA DEL SUR

Mar Caribe

Océano Atlántico

Maracaibo • Caracas
VENEZUELA **GUYANA**
Georgetown ✪ **SURINAM**
Medellín • Paramaribo ✪ Cayena ✪
Bogotá • **GUAYANA FRANCESA**
COLOMBIA

Islas Galápagos (Ecuador)
Quito ✪
ECUADOR
Guayaquil •
Iquitos •

Río Amazonas

CORDILLERA DE LOS ANDES

PERÚ
Lima • Cuzco •
BRASIL
Brasilia ✪

BOLIVIA
La Paz • Sucre ✪

Océano Pacífico

PARAGUAY
São Paulo •
Asunción ✪
Río de Janeiro •

CORDILLERA DE LOS ANDES

Córdoba •
Rosario •
URUGUAY
Valparaíso • Buenos Aires • Montevideo ✪
Santiago •
ARGENTINA
Mar del Plata •
CHILE
Puerto Montt • Bariloche •

Islas Malvinas (R.U.)

0   500   1000
Kilómetros

Punta Arenas •

N
O — E
S

474

MÉXICO, LA AMÉRICA CENTRAL, Y EL CARIBE

Océano Atlántico

ANTILLAS MENORES

VENEZUELA
Caracas

COLOMBIA
Medellín

PUERTO RICO
San Juan
Ponce

REPÚBLICA DOMINICANA
Santo Domingo
Puerto Príncipe
HAITÍ
Guantánamo

ISLAS BAHAMAS

Mar Caribe

Barranquilla
Cartagena
Panamá
PANAMÁ
Colón
Puerto Limón

CUBA
Camagüey
Cienfuegos
Matanzas
La Habana
Santiago de Cuba
Isla de la Juventud

JAMAICA
Kingston

COSTA RICA
San José
Puntarenas
NICARAGUA
Managua

HONDURAS
Tegucigalpa

BELIZE
Belmopan

GUATEMALA
Guatemala
Antigua
San Salvador
EL SALVADOR

Tampa
Miami
Nueva Orleans

Golfo de México

Mérida

Veracruz

ESTADOS UNIDOS
Dallas
San Antonio

Golfo de Campeche

San Luis Potosí
México
Acapulco

MÉXICO
Guadalajara
Chihuahua
Nuevo Laredo
Ciudad Juárez
El Paso
Río Grande
Río Bravo
Santa Fe
Albuquerque

Mississipí
Río

Phoenix
Tucson
Nogales
Mexicali
Tijuana
San Diego
Los Ángeles

Golfo de California
La Paz

Océano Pacífico

N
E
S
O

200
100
Kilómetros
0

475

VERBOS

A. Verbos regulares

INFINITIVO	**hablar** *to speak*	**comer** *to eat*	**vivir** *to live*
PRESENTE PROGRESIVO	estar hablando	estar comiendo	estar viviendo
PRESENTE	yo hablo tú hablas él, ella, Ud. habla nosotros(as) hablamos *vosotros(as) habláis* ellos, ellas, Uds. hablan	yo como tú comes él, ella, Ud. come nosotros(as) comemos *vosotros(as) coméis* ellos, ellas, Uds. comen	yo vivo tú vives él, ella, Ud. vive nosotros(as) vivimos *vosotros(as) vivís* ellos, ellas, Uds. viven
PRETÉRITO	yo hablé tú hablaste él, ella, Ud. habló nosotros(as) hablamos *vosotros(as) hablasteis* ellos, ellas, Uds. hablaron	yo comí tú comiste él, ella, Ud. comió nosotros(as) comimos *vosotros(as) comisteis* ellos, ellas, Uds. comieron	yo viví tú viviste él, ella, Ud. vivió nosotros(as) vivimos *vosotros(as) vivisteis* ellos, ellas, Uds. vivieron

B. Verbos regulares con cambio en la primera persona singular
(Regular verbs with stem change in the first person singular)

INFINITIVO	**conocer** *to know*	**salir** *to leave*	**ver** *to see*
PRESENTE PROGRESIVO	estar conociendo	estar saliendo	estar viendo
PRESENTE	yo conozco	yo salgo	yo veo

C. Verbos con cambio radical
(Stem-changing verbs)

INFINITIVO	**preferir**[1] (e>ie) *to prefer*	**volver**[2] (o>ue) *to return*	**pedir**[3] (e>i) *to ask for*
PRESENTE PROGRESIVO	estar prefiriendo	estar volviendo	estar pidiendo
PRESENTE	yo prefiero tú prefieres él, ella, Ud. prefiere nosotros(as) preferimos *vosotros(as) preferís* ellos, ellas, Uds. prefieron	yo vuelvo tú vuelves él, ella, Ud. vuelve nosotros(as) volvemos *vosotros(as) volvéis* ellos, ellas, Uds. vuelven	yo pido tú pides él, ella, Ud. pide nosotros(as) pedimos *vosotros(as) pedís* ellos, ellas, Uds. piden
PRETÉRITO	yo preferí tú preferiste él, ella, Ud. prefirió nosotros(as) preferimos *vosotros(as) preferisteis* ellos, ellas, Uds. prefirieron	yo volví tú volviste él, ella, Ud. volvió nosotros(as) volvimos *vosotros(as) volvisteis* ellos, ellas, Uds. volvieron	yo pedí tú pediste él, ella, Ud. pidió nosotros(as) pedimos *vosotros(as) pedisteis* ellos, ellas, Uds. pidieron

D. Verbos irregulares

INFINITIVO	**andar** *to walk*	**dar** *to give*	**decir** *to tell*
PRESENTE PROGRESIVO	estar andando	estar dando	estar diciendo
PRESENTE	yo ando tú andas él, ella, Ud. anda nosotros(as) andamos *vosotros(as) andáis* ellos, ellas, Uds. andan	yo doy tú das él, ella, Ud. da nosotros(as) damos *vosotros(as) dais* ellos, ellas, Uds. dan	yo digo tú dices él, ella, Ud. dice nosotros(as) decimos *vosotros(as) decís* ellos, ellas, Uds. dicen
PRETÉRITO	yo anduve tú anduviste él, ella, Ud. anduvo nosotros(as) anduvimos *vosotros(as) anduvisteis* ellos, ellas, Uds. anduvieron	yo di tú diste él, ella, Ud. dio nosotros(as) dimos *vosotros(as) disteis* ellos, ellas, Uds. dieron	yo dije tú dijiste él, ella, Ud. dijo nosotros(as) dijimos *vosotros(as) dijisteis* ellos, ellas, Uds. dijeron

[1] Verbos similares: *morir, sugerir*
[2] Verbos similares: *jugar*
[3] Verbos similares: *freir, repetir, seguir, servir*

Verbos irregulares

INFINITIVO	empezar *to begin*	estar *to be*	hacer *to do*
PRESENTE PROGRESIVO	estar empezando		estar haciendo
PRESENTE	yo empiezo tú empiezas él, ella, Ud. empieza nosotros(as) empezamos *vosotros(as) empezáis* ellos, ellas, Uds. empiezan	yo estoy tú estás él, ella, Ud. está nosotros(as) estamos *vosotros(as) estáis* ellos, ellas, Uds. están	yo hago tú haces él, ella, Ud. hace nosotros(as) hacemos *vosotros(as) hacéis* ellos, ellas, Uds. hacen
PRETÉRITO	yo empecé tú empezaste él, ella, Ud. empezó nosotros(as) empezamos *vosotros(as) empezasteis* ellos, ellas, Uds. empezaron	yo estuve tú estuviste él, ella, Ud. estuvo nosotros(as) estuvimos *vosotros(as) estuvisteis* ellos, ellas, Uds. estuvieron	yo hice tú hiciste él, ella, Ud. hizo nosotros(as) hicimos *vosotros(as) hicisteis* ellos, ellas, Uds. hicieron
INFINITIVO	ir *to go*	poder *to be able*	poner *to put*
PRESENTE PROGRESIVO	estar yendo	estar pudiendo	estar poniendo
PRESENTE	yo voy tú vas él, ella, Ud. va nosotros(as) vamos *vosotros(as) vais* ellos, ellas, Uds. van	yo puedo tú puedes él, ella, Ud. puede nosotros(as) podemos *vosotros(as) podéis* ellos, ellas, Uds. pueden	yo pongo tú pones él, ella, Ud. pone nosotros(as) ponemos *vosotros(as) ponéis* ellos, ellas, Uds. ponen
PRETÉRITO	yo fui tú fuiste él, ella, Ud. fue nosotros(as) fuimos *vosotros(as) fuisteis* ellos, ellas, Uds. fueron	yo pude tú pudiste él, ella, Ud. pudo nosotros(as) pudimos *vosotros(as) pudisteis* ellos, ellas, Uds. pudieron	yo puse tú pusiste él, ella, Ud. puso nosotros(as) pusimos *vosotros(as) pusisteis* ellos, ellas, Uds. pusieron

Verbos irregulares

INFINITIVO	**querer** *to want*	**saber** *to know*	**ser** *to be*
PRESENTE PROGRESIVO	estar queriendo	estar sabiendo	estar siendo
PRESENTE	yo quiero tú quieres él, ella, Ud. quiere nosotros(as) queremos *vosotros(as) queréis* ellos, ellas, Uds. quieren	yo sé tú sabes él, ella, Ud. sabe nosotros(as) sabemos *vosotros(as) sabéis* ellos, ellas, Uds. saben	yo soy tú eres él, ella, Ud. es nosotros(as) somos *vosotros(as) sois* ellos, ellas, Uds. son
PRETÉRITO	yo quise tú quisiste él, ella, Ud. quiso nosotros(as) quisimos *vosotros(as) quisisteis* ellos, ellas, Uds. quisieron	yo supe tú supiste él, ella, Ud. supo nosotros(as) supimos *vosotros(as) supisteis* ellos, ellas, Uds. supieron	yo fui tú fuiste él, ella, Ud. fue nosotros(as) fuimos *vosotros(as) fuisteis* ellos, ellas, Uds. fueron
INFINITIVO	**tener** *to have*	**traer** *to bring*	**venir** *to come*
PRESENTE PROGRESIVO	estar teniendo	estar trayendo	estar viniendo
PRESENTE	yo tengo tú tienes él, ella, Ud. tiene nosotros(as) tenemos *vosotros(as) tenéis* ellos, ellas, Uds. tienen	yo traigo tú traes él, ella, Ud. trae nosotros(as) traemos *vosotros(as) traéis* ellos, ellas, Uds. traen	yo vengo tú vienes él, ella, Ud. viene nosotros(as) venimos *vosotros(as) venís* ellos, ellas, Uds. vienen
PRETÉRITO	yo tuve tú tuviste él, ella, Ud. tuvo nosotros(as) tuvimos *vosotros(as) tuvisteis* ellos, ellas, Uds. tuvieron	yo traje tú trajiste él, ella, Ud. trajo nosotros(as) trajimos *vosotros(as) trajisteis* ellos, ellas, Uds. trajeron	yo vine tú viniste él, ella, Ud. vino nosotros(as) vinimos *vosotros(as) vinisteis* ellos, ellas, Uds. vinieron

E. Verbos reflexivos

INFINITIVO	**lavarse** *to wash oneself*		
PRESENTE PROGRESIVO	estar lavándose		
PRESENTE	yo me lavo tú te lavas él, ella, Ud. se lava nosotros(as) nos lavamos *vosotros(as) os laváis* ellos, ellas, Uds. se lavan		
PRETÉRITO	yo me lavé tú te lavaste él, ella, Ud. se lavó nosotros(as) nos lavamos *vosotros(as) os lavasteis* ellos, ellas, Uds. se lavaron		

F. Verbos reflexivos con cambio radical

INFINITIVO	**acostarse (o>ue)** *to go to bed*	**despertarse (e>ie)** *to wake up*	**dormirse (o>ue, u)** *to fall asleep*
PRESENTE PROGRESIVO	estar acostándose	estar despertándose	estar durmiéndose

PRESENTE	yo me acuesto
	tú te acuestas
	él, ella, Ud. se acuesta
	nosotros(as) nos acostamos
	vosotros(as) os acostáis
	ellos, ellas, Uds. se
	  acuestan
		yo me despierto
		tú te despiertas
		él, ella, Ud. se despierta
		nosotros(as) nos
		  despertamos
		vosotros(as) os despertáis
		ellos, ellas, Uds. se
		  despiertan
			yo me duermo
			tú te duermes
			él, ella, Ud. se duerme
			nosotros(as) nos dormimos
			vosotros(as) os dormís
			ellos, ellas, Uds. se
			  duermen

PRETÉRITO	yo me acosté
	tú te acostaste
	él, ella, Ud. se acostó
	nosotros(as) nos acostamos
	vosotros(as) os acostasteis
	ellos, ellas, Uds. se
	  acostaron
		yo me desperté
		tú te despertaste
		él, ella, Ud. se despertó
		nosotros(as) nos
		  despertamos
		vosotros(as) os despertasteis
		ellos, ellas, Uds. se
		  despertaron
			yo me dormí
			tú te dormiste
			él, ella, Ud. se durmió
			nosotros(as) nos dormimos
			vosotros(as) os dormisteis
			ellos, ellas, Uds. se
			  durmieron

Verbos reflexivos con cambio radical

INFINITIVO	**divertirse (e>ie, i)** *to enjoy oneself*	**sentarse** *to sit down*	**vestirse (e>i, i)** *to dress oneself*
PRESENTE PROGRESIVO	estar divirtiéndose	estar sentándose	estar vistiéndose
PRESENTE	yo me divierto tú te diviertes él, ella, Ud. se divierte nosotros(as) nos divertimos *vosotros(as) os divertís* ellos, ellas, Uds. se divierten	yo me siento tú te sientas él, ella, Ud. se sienta nosotros(as) nos sentamos *vosotros(as) os sentáis* ellos, ellas, Uds. se sientan	yo me visto tú te vistes él, ella, Ud. se viste nosotros(as) nos vestimos *vosotros(as) os vestís* ellos, ellas, Uds. se visten
PRETÉRITO	yo me divertí tú te divertiste él, ella, Ud. se divirtió nosotros(as) nos divertimos *vosotros(as) os divertisteis* ellos, ellas, Uds. se divirtieron	yo me senté tú te sentaste él, ella, Ud. se sentó nosotros(as) nos sentamos *vosotros(as) os sentasteis* ellos, ellas, Uds. se sentaron	yo me vestí tú te vestiste él, ella, Ud. se vistió nosotros(as) nos vestimos *vosotros(as) os vestistéis* ellos, ellas, Uds. se vistieron

VOCABULARIO
ESPAÑOL-INGLÉS

The Vocabulario español-inglés contains all productive and receptive vocabulary from the text.

The reference numbers following each productive entry indicate the chapter and vocabulary section in which the word is introduced. For example **3.2** means that the word first appeared in *Capítulo 3, Palabras 2*. **BV** refers to the introductory *Bienvenidos* lesson.

Words without a chapter reference indicate receptive vocabulary (not taught in the *Palabras* sections).

A

abordar to get on, board, **8.1**
  el pase de abordar boarding pass, **8.1**
abotonar to button
la **abreviatura** abbreviation
el **abrigo** overcoat, **13.1**
  abril April, **BV**
  abrir to open, **8.2**
la **abuela** grandmother, **6.1**
el **abuelo** grandfather, **6.1**
los **abuelos** grandparents, **6.1**
  abundante abundant
  aburrido(a) boring, **1.1**
  aburrir to bore, **13**
el **abuso** abuse
la **academia** academy
  académico(a) academic
  acampar to camp, **16.2**
el **aceite** oil, **15.2**
  aceptar accept
  acompañar to accompany
  acostarse (ue) to go to bed, **16.1**
la **actividad** activity
el **actor** actor, **12.2**
la **actriz** actress, **12.2**
la **actualidad** present time
  actualmente at present
  acuático(a) aquatic, **11.1**
  acudir to go; to attend
el **acueducto** aqueduct
  acusar to accuse
  adecuado(a) adequate
la **adicción** addiction
  adiós good-bye, **BV**
la **adivinanza** riddle, puzzle
  adivinar to guess
el/la **adolescente** adolescent
  ¿adónde? (to) where?, **4**
  adoptar to adopt
la **aduana** customs, **8.2**
  aeróbico aerobic, **10.2**
el **aeropuerto** airport, **8.1**
  afeitarse to shave, **16.1**
  la crema de afeitar shaving cream, **16.2**
las **afueras** outskirts, **5.1**
el/la **agente** agent, **8.1**
la **aglomeración** agglomeration
  agonizante dying
  agosto August (m.), **BV**
  agotador(a) exhausting
  agradable pleasant

la **agricultura** agriculture
el **agua** (f.) water
  el agua de colonia cologne
  el agua mineral mineral water
  ahora now
  aislado(a) isolated
  al (a + el) to the
  al aire libre outdoors, **9.2**
la **alberca** swimming pool, **11.2**
el **albergue juvenil** youth hostel, **16.2**
el **alcohol** alcohol
el **alcoholismo** alchoholism
  alegre happy
  alemán (alemana) German
la **alergia** allergy, **10.2**
el **alga** seaweed
el **álgebra** algebra, **2.2**
  algo something, **9.1**
  alguien somebody, **13**
  algún, alguno(a) some, any
la **alimentación** food
  alimentar to feed
  alimentario nourishing
el **almacén** department store
la **almeja** clam
el **almuerzo** lunch, **5.2**
  alquilar to rent, **11.1**
  alrededor de around, **6.2**
la **alteración** alteration
  alto(a) tall, **1.1**; high
la **altura** height
el/la **alumno(a)** student, **1.1**
  allá there
  allí there
  amable kind, **2.1**
  amarillo(a) yellow, **13.2**
  amazónico(a) Amazon, Amazonian
la **ameba** amoeba
la **América del Sur** South America, **8.1**
  americano(a) American, **1.2**
el/la **amigo(a)** friend, **1.1**
  amplio(a) large, roomy
  analizar to analyze
  anaranjado(a) orange, **13.2**
el/la **anatomista** anatomist
el **análisis** analysis
  ancho(a) wide, **13.2**
la **anchura** width
  andar to walk
el **andén** railway platform, **14.1**
  andino(a) Andean

el **animal** animal
  anoche last night, **11.2**
  anónimo(a) anonymous
el **anorak** anorak, **9.1**
  antártico(a) antarctic
  anteayer the day before yesterday, **11.2**
los **anteojos de (para el) sol** sunglasses, **11.1**
  antes before
  antiguo(a) ancient
  antipático(a) unpleasant (person), **1.1**
la **antropología** anthropology
el/la **antropólogo(a)** anthropologist
el **anuncio** advertisement, announcement
el **año** year, **11.2**
  el año pasado last year, **11.2**
  este año this year, **11.2**
  hace muchos años it's been many years
  aparecer (zc) to appear
el **apartamento** apartment, **5.1**
  aparte apart
el **apellido** last name
  aplaudir to applaude, **12.2**
el **aplauso** applause
el **apodo** nickname
  aprender to learn, **5.2**
el **aprendizaje** learning
  apretar to pinch, **13.2**
  me aprieta it pinches me, **13.2**
  aprobado(a) passing
  aproximadamente approximately
los **apuntes** notes, **3.2**
  aquel, aquella that, **9.2**
  aquí here
el/la **árbitro(a)** referee, **7.1**
el **árbol** tree, **6.2**
  el árbol genealógico family tree
el **área** (f.) area
la **arena** sand, **11.1**
  argentino(a) Argentinian, **2.1**
la **aritmética** arithmetic, **2.2**
  armar una tienda to put up a tent, **16.2**
el **aro** hoop, **7.2**
el **arroz** rice, **15.2**
el **arte** (f.) art, **2.2**
  las bellas artes fine arts
el **artefacto** artifact
el **artículo** article

el artículo de tocador
toiletry
el/la **artista** artist, **12.2**
  artístico(a) artistic, **12**
la **ascendencia** ancestry
el **ascensor** elevator, **5.1**
  así thus
el **asiento** seat, **8.1**
  el número del asiento seat
    number, **8.1**
la **asignatura** subject, **2.2**
el/la **asistente(a) de vuelo** flight
  attendant, **8.2**
  asistir to attend, to assist, **5.2**
el **asombro** amazement
el **asunto** subject
  atacar to attack
el **aterrizaje** landing
  aterrizar to land, **8.2**
  Atlántico: Océano Atlántico
  Atlantic Ocean
el/la **atleta** athelete
  atractivo(a) attractive, **1.2**
  atrapar to catch, **7.2**
  atravesar to cross
  aun even
  aunque although
  austral southern
el **autobús** bus, **3.1**
  perder el autobús to miss
    the bus, **12.1**
el **automóvil** car
el/la **autor(a)** author, **12.2**
  avanzado(a) advanced
la **avenida** avenue, **5.1**
el/la **aventurero** adventurer
la **avioneta** small airplane
el **avión** airplane, **8.1**
  en avión by plane, **8**
el **aviso** warning
  ayer yesterday, **11.1**
  ayer por la mañana
    yesterday morning, **11.2**
  ayer por la tarde yesterday
    afternoon, **11.2**
la **ayuda** help
  ayudar to help
  azul blue, **13.2**
  azul marino navy blue

B

la **bacteria** bacterium
  bailar to dance, **4.2**

el **baile** dance
  bajar to go down, **9.1**
  bajar(se) del tren to get off the
    train, **14.2**
  bajo below, **9.1**
  bajo cero below zero, **9.1**
  bajo(a) short (person), **1.1**; low
el **balcón** balcony, **6.2**
el **balneario** beach resort, **11.1**
el **baloncesto** basketball, **7.2**
el **balón** ball, **7.1**
la **ballena** whale
el **banco** bank, **BV**; bench
la **banda** (music) band
el/la **bañador(a)** bather, **11.1**
  bañarse to go for a swim, **16.2**
  baño: el traje de baño bathing
    suit, **11.1**
  barato(a) cheap, **13.1**
el **barquito** small boat, **11.1**
la **barra** bar, **16.2**
el **barrio** neighborhood
  basar to base
  basarse to be based
la **báscula** scale, **8.1**
la **base** base, **7.2**
  básico(a) basic
el **básquetbol** basketball, **7.2**
  bastante enough, **1.1**
el **bastón** pole, **9.1**; driver (golf),
  11.2
la **batalla** battle
el **bate** bat, **7.2**
el/la **bateador(a)** batter, **7.2**
  batear to hit (sports), **7.2**
el **bautizo** baptism
  beber to drink, **5.2**
el **béisbol** baseball, **7.2**
  belga Belgian
la **belleza** beauty
  bello(a) beautiful
la **biblioteca** library, **4.1**
la **bicicleta** bicycle, **6.2**
  bien fine, well, **BV**
  bien cocido (hecho) well
    done (cooked), **15.2**
el **biftec** beefsteak, **15.2**
  bilingüe bilingual
la **bilis** bile
el **billete** ticket, **8.1**
  el billete de ida y vuelta
    roundtrip ticket, **14.1**
  el billete sencillo one-way
    ticket, **14.1**
la **biología** biology, **2.2**

el/la **biólogo(a)** biologist
  blanco(a) white, **13.2**
el **bloc** writing pad, **3.2**
  bloquear to block, **7.1**
el **blue jean** blue jeans, **13.1**
la **blusa** blouse, **13.1**
  la blusa de cuello sin
    espalda halter, **13**
el **blusón** smock, **13.1**
la **boca** mouth, **10.2**
el **bocadillo** sandwich, **5.2**
la **boda** wedding
la **bola** ball, **11.2**
la **boletería** ticket office, **9.1**
el **boleto** ticket, **8.1**
el **bolígrafo** ballpoint pen, **BV**
  bonito(a) pretty, **6.2**
  borde: al borde de on the
    brink of
el **bosque** forest, **16.2**
la **bota** boot, **9.1**
la **botánica** botany
la **botella** bottle
el **botiquín** medical kit, **16.2**
el **botón** button, **13.2**
  brasileño(a) Brazilian
el **brazo** arm
  brillar to shine, **11.1**
  brincar to jump
  británico(a) British
  bronceador(a) tanning, **11.1**
  bucear to skindive, **11.1**
el **buceo** skindiving, **11.1**
  bueno(a) good, **1.2**
  buenas noches good
    evening, good night, **BV**
  buenas tardes good
    afternoon, **BV**
  buenos días good morning,
    BV
el **burro** donkey
el **bus** bus, **3.1**
la **busca** search
  buscar to look for
la **butaca** orchestra seat, **12.1**

C

la **cabeza** head, **7.1**
  el dolor de cabeza headache,
    10.1
  cabotaje: de cabotaje domestic,
    8
  cada each

la **cadena** chain
el **café** coffee, **5.2**; café
la **cafetería** cafeteria
la **caja** cashbox, **13.1**
los **calcetines** socks, **13.1**
la **calculadora** calculator, **BV**
el **calendario** calendar
la **calificación** grading, **3.2**
la **calistenia** calisthenics
el **calor** heat, **11.1**
   hace calor it's hot, **11.1**
la **caloría** calorie, **10.2**
la **calle** street, **5.1**
la **callejuela** side street; alley
la **cama** bed, **10.1**
la **cámara: de cámara** court, royal
el **camarón** shrimp
   cambiar to change, exchange
el **cambio** change
   caminar to walk
la **caminata** hike, **16.2**
   dar una caminata to take a
     hike, **16.2**
la **camisa** shirt, **13.1**
   la camisa de deporte sports
     shirt
la **camiseta** undershirt, **13.1**
el **campamento** camp, **16.2**
la **campaña** campaign
el **campeonato** championship
el **camping** camping, **16.2**
   ir de camping to go
     camping, **16.2**
el **campo** country, **5.1**; field, **7.1**
   el campo de fútbol football
     field, **7.1**
el **canal** channel
el **canasto** basket, **7.2**
el **cáncer** cancer
la **canción** song
la **cancha** court (sports), **7.2**
   la cancha de esquí ski path,
     9
   la cancha de tenis tennis
     court, **11.2**
   cansado(a) tired, **10.1**
el/la **cantante** singer
   cantar to sing, **4.2**
la **cantidad** quantity
la **cantimplora** canteen, **16.2**
la **cantina** lunchroom
el **cañón** canyon
la **capital** capital
   capturar to capture
la **cara** face, **16.1**

el **carácter** character
la **característica** characteristic
el **carbohidrato** carbohydrate,
   10.2
el **Caribe** Caribbean
la **carne** meat, **5.2**
   la carne de res beef
   carnívoro(a) carnivorous
   caro(a) expensive, **13.1**
la **carpa** tent, **16.2**
la **carretera** highway
el **carrito** cart
el **carro** car, **3.1**
la **carta** letter, **5.2**
la **casa** house, **4.1**
   a casa home, **4.2**
   la casa de huéspedes guest
     house
   la casa particular private
     house
   casi almost
   casi crudo rare (cooked),
     15.2
el **casino** casino
el **caso** case
el **castigo** punishment
   castizo(a) real, legitimate,
     genuine
el **catarro** cold (medical), **10.1**
el **catálogo** catalogue
el/la **cátcher** catcher, **7.2**
la **catedral** cathedral
la **categoría** category
   católico(a) Catholic
la **causa** cause
   a causa de because of
   causar to cause
   cautivo(a) captured
   cazar to hunt
la **cebolla** onion
la **celebración** celebration
   celebrar to celebrate
la **célula** cell
la **cena** dinner, **5.2**
   cenar to dine
el **centígrado** centigrade, **9.1**
el **centro** center
   el centro comercial
     shopping center, **4.1**
   Centroamérica Central
     America
   cepillarse to brush, **16.1**
el **cepillo** brush, **16.2**
   cerca de near
las **cercanías** outskirts

la **ceremonia** ceremony
   cero zero
el **cesto** basket, **7.2**
el **ciclomotor** motorbike, **6.2**
el **cielo** sky, **11.1**
   cien(to) one hundred, **BV**
la **ciencia** science, **2.2**
   la ciencia política political
     science
   las ciencias naturales
     natural sciences
   las ciencias sociales social
     sciences, **2.2**
el/la **científico(a)** scientist
   científico(a) scientific
   cinco five, **BV**
   cincuenta fifty, **BV**
el **cine** movie theater, **12.1**
   cinematográfico(a)
     cinematographic
la **cinta** tape, **4.1**
el **cinturón** belt, **13.1**
la **circulación** circulation
la **cirugía** surgery
el/la **cirujano(a)** surgeon
la **ciudad** city, **5.1**
el/la **ciudadano(a)** citizen
la **civilización** civilization
el **círculo** circle
   claro of course
la **clase** class, **2.1**
   la clase media middle class
   clásico(a) classic, **4**
el/la **cliente** customer, **5.2**
el **clima** climate
   climático(a) climatic
la **clínica** clinic, **10.2**
   cocido(a) cooked, **15.2**
   bien cocido (hecho) well
     done (cooked), **15.2**
la **cocina** cooking; kitchen, **4.1**
el/la **cocinero(a)** cook, **15.1**
el **cóctel** cocktail
el **coche** car, **3.1**; train car, **14.2**
el **coche-cama** sleeping car, **14.2**
el **coche-comedor** dining car,
   14.2
   coeducacional coeducational
la **cola** line (of people), **12.1**
la **colección** collection
el **colegio** school, **1.1**
la **colina** hill, **16.2**
   colombiano(a) Colombian, **1**
el **color** color, **13.2**
   de color crema, vino, café,

oliva, marrón, turquesa
cream, wine, coffee, olive,
brown, turquoise colored,
13.2

el/la **comandante** captain, **8.2**

combinar to combine

la **comedia** comedy

el **comedor** dining room, **5.1**

el **comentario** commentary

comenzar (ie) to begin, **7**

comer to eat, **5.2**

la **comida** meal, **5.2**

la **comida rápida** fast food

como as, like

¿cómo? what?; how?, **1.1**

¿Cómo estás? How are you?

la **compañía** company

la **comparación** comparison

comparar to compare

el **compartimiento** compartment,
14.2

la **competencia** competition

competir to compete

completamente completely

el **comportamiento** behavior;
comportment

comprar to buy, **5.2**

compras: de compras
shopping, **13.1**

comprender to understand, **5.2**

el **comprimido** pill, **10.2**

el **compuesto** compound

la **computadora** computer, **BV**

común common

comunicar to communicate

la **comunidad** community

con with

con retraso late, **14.2**

con una demora late, **14.2**

el **concierto** concert, **12.2**

el **concurso** contest

el **condominio** condominium

conducir to drive

la **conducta** conduct

el/la **conductor(a)** driver

la **conexión** connection

confrontar to confront

conocer to know (a person), **9.1**

la **conquista** conquest

conservar to conserve

considerar to consider

la **construcción** construction

construir to build, construct

la **consulta del médico** doctor's
office, **10.2**

el **consultorio del médico**
doctor's office, **10.2**

el/la **consumidor(a)** consumer

contemporáneo(a)
contemporary

contener to contain

contento(a) happy, **10.1**

contestar to answer

el **continente** continent

continuar to continue

contra against

contraer to contract

contrario(a) opposite, **7**

lo contrario the opposite

la **contribución** contribution

el **control** inspection, **8.1**

el **control de seguridad**
security inspection, **8.1**

el **control de pasaportes**
passport inspection, **8.1**

controlado(a) controlled

el **convento** convent

la **conversación** conversation

convertir to convert

la **copa** cup

la **Copa mundial** World Cup

el/la **copiloto** copilot, **8.2**

el **corazón** heart

la **corbata** necktie, **13.1**

corregir to correct

correr to run, **7.2**

corto(a) short, **13.2**

la **cosa** thing

los **cosméticos** cosmetics

la **costa** coast

costar to cost, **13.1**

la **costumbre** custom

creer to believe

la **crema** cream, **11.1**

la **crema bronceadora**
suntan cream, **11.1**

la **crema de afeitar** shaving
cream, **16.2**

la **crema protectora** sun
protection cream, **11.1**

la **cremallera** zipper, **13.2**

criar to raise

cristalino(a) crystalline

crudo(a) raw, **15.2**

casi crudo rare (cooked),
15.2

cruel cruel

cruzar to cross

el **cuaderno** notebook, **BV**

cuadrado(a) square

el **cuadrante** quadrant

el **cuadro** painting, picture, **12.2**

cuadros: a cuadros plaid, **13.2**

¿cuál? what?, which?, **BV**

¿Cuál es la fecha de hoy?
What is today's date?, **BV**

cualquier any

cuando when

¿cuándo? when?, **3.1**

¿cuánto(a)? how much?, **BV**

¿Cuánto cuesta? How much
does it cost?, **13.1**

¿Cuánto es? How much is it?,
BV

cuarenta forty, **BV**

cuarto(a) fourth, **5.1**

el **cuarto** room, **5.1**; quart

el **cuarto de baño** bathroom,
5.1

el **cuarto de dormir**
bedroom, **5.1**

cuatro four, **BV**

cubano(a) Cuban

cubierto(a) covered, **9.2**

cubrir to cover

la **cuchara** spoon, **15.1**

la **cucharita** teaspoon, **15.1**

la **cuchilla** blade, **9.2**

el **cuchillo** knife, **15.1**

la **cuenta** bill, **12.2**

el **cuentagotas** eyedropper

el **cuerpo** body

la **cuesta** slope, **9.1**

cuidado be careful

cuidar to take care of

cultivar to grow

la **cultura** culture

el **cumpleaños** birthday, **6.2**

cumplir to be (so many years)
old

curar to cure

curioso(a) curious

el **curso** course, **2.1**

CH

la **chabola** shack

el **champú** shampoo, **16.2**

chao good-bye, **BV**

la **chaqueta** jacket, **13.1**

el/la **chico(a)** boy (girl)

el **chimpancé** chimpanzee

chino(a) Chinese

la **choza** shack
el **churro** a type of doughnut

D

dar to give, **4.2**
  dar prisa to rush, hurry
  dar (presentar) una película to show a movie, **12**
  dar una caminata to take a hike, **16.2**
el **dátil** date (fruit)
el **dato** fact
de of, from, for, **1.1**
  de equipo team, **7**
  de jazz jazz, **4**
  de nada you're welcome, **BV**
  de rock rock, **4**
  de vez en cuando now and then
deber to owe; + infinitive should, ought
debido a due to
decidir to decide
decimal decimal
décimo(a) tenth, **5.1**
decir to say, **9**
la **definición** definition
dejar to leave (something behind), **12.2**
del (de + el) from the, of the
delante de in front of
delicioso(a) delicious, **15.2**
demasiado too, too much, **13.2**
la **demografía** demography
la **demora** delay, **14.2**
  con una demora late, **14.2**
denso(a) thick
dentro de in; inside
depender to depend
el/la **dependiente** salesperson, **13.1**
el **deporte** sport, **2.2**
deportivo(a) related to sports
depredador(a) plunderer
la **derecha** right, **5.1**
  a la derecha to the right, **5.1**
derrotar to defeat
desaparecer (zc) to disappear
desaprobado(a) failing
desayunarse to eat breakfast, **16.1**
el **desayuno** breakfast, **5.2**
descender to descend
el/la **descendiente** descendent

describir to describe
el **descubrimiento** discovery
descubrir to discover
desde from, since
desembarcar to disembark, **8**
desgraciadamente unfortunately
el **desierto** desert
el **desodorante** deodorant, **16.2**
despachar to wait on or help customers, **10.2**
despegar to take off (airplane), **8.2**
despertarse (ie) to wake up, **16.1**
después de after, **4.1**
el **destino** destination, **8.1**
la **detalle** detail
determinar to determine
devolver (ue) to return, **7.2**
el **día** day
la **diagnosis** diagnosis, **10.2**
diario(a) daily; diary
dibujar to sketch
diciembre December , **BV**
el **diente** tooth, **16.1**
la **dieta** diet, **10.2**
diez ten, **BV**
la **diferencia** difference
diferente different
difícil difficult, **2.1**
dinámico(a) dynamic
el **dinero** money
la **dirección** address
el **directivo** board of directors, management
el/la **director(a)** conductor, **12.2**; director
la **disciplina** instruction, **2.2**
el **disco** record, **4.1**
la **discoteca** discotheque
la **disección** dissection
el/la **diseñador(a)** designer
diseñar to design
disfrutar to enjoy
la **distancia** distance
distinto(a) distinct
el **distrito** district
la **diversión** amusement
divertido(a) fun, **1.1**
divertirse (ie, i) to enjoy oneself, **16.2**
dividir to divide
el **divorcio** divorce
doblado(a) dubbed

doler to hurt, ache, **10.2**
  me duele it hurts, aches, **10**
el **dolor** ache, pain, **10.1**
  el dolor de cabeza headache, **10.1**
  el dolor de garganta sore throat, **10.1**
dominante dominant
el **domingo** Sunday, **BV**
dominicano(a) Dominican
el **dominio** power
¿dónde? where?, **1.2**
dormir (ue, u) to sleep, **7**
  dormirse (ue, u) to fall asleep, **16.1**
el **dormitorio** bedroom, **5.1**
dos two, **BV**
la **dosis** dose, **10.2**
dramáticamente dramatically
dramático(a) dramatic
driblar con to dribble, **7.2**
la **droga** drug, **10.2**
la **drogadicción** drug addiction
la **droguería** drug store
la **ducha** shower, **16.2**
  tomar una ducha to take a shower, **16.2**
la **duda** doubt
  no hay duda there is no doubt
durante during, **4.2**

E

echar to throw
  echar una siesta to take a nap, **11.1**
la **economía** economy
  la economía doméstica home economics, **2.2**
económico(a) economical
ecuatorial equatorial
ecuatoriano(a) Ecuadorean
la **Edad Media** Middle Ages
el **edificio** building, **5.1**
educacional educational
la **educación** education
  la educación cívica civic education, **2.2**
  la educación física physical education, **2.2**
educar to educate
el **efecto** effect
el **ejemplo** example

por ejemplo for example

ejercer to practice (a profession)

el **ejercicio** exercise, **10.2**

    el **ejercicio aeróbico** aerobic exercise, **10.2**

    el **ejercicio físico** physical exercise, **10.2**

el **el** the (m. sing.), **1.1**

él he, **1.1**

el **elefante** elephant

elegante elegant

el **elemento** element

ella she, her, **1.2**

ellos(as) they, them

el **emblema** emblem

el/la **emigrante** emigrant

la **emisión deportiva** sports broadcast, **5.2**

la **emoción** emotion; excitement

empatado(a) tied, **7**

empezar (ie) to begin, **7.1**

emplear to employ

la **empresa** business; company

en in, **1.1**

    en avión by plane, **8**

    en este momento at this moment, **8.1**

    en todas partes everywhere

encantar to delight, **13**

encestar to put in a basket, **7.2**

encontrar to find

la **energía** energy

enero January, **BV**

enfadar to annoy, anger, **13**

la **enfermedad** sickness

el/la **enfermero(a)** nurse, **10.2**

el/la **enfermo(a)** sick person, **10.1**

enfermo(a) sick, **10.1**

enlazar to join, connect

enojar to annoy, anger, **13**

enorme enormous

la **ensalada** salad, **5.2**

enseguida at once, immediately, **16**

la **enseñanza** teaching

enseñar to teach, **3.2**

entero(a) whole

el **entierro** burial

la **entrada** entrance, **6.2**; admission ticket, **7.2**

entrar to enter, **3.1**

    entrar en escena to come on the stage, **12.2**

entre between, among

el **entremés** appetizer

la **entrevista** interview

épico(a) epic

la **época** epoch

el **equilibrio** equilibrium

el **equipaje** baggage, luggage, **8.1**

    el **equipaje de mano** hand baggage, **8.1**

    el **reclamo de equipaje** baggage claim, **8.2**

el **equipo** team, **7.1**; equipment

equivalente equivalent

eres you (sing. fam.) are

es he/she/it is, **1.1**

la **escalera** stairway, **5.1**

los **escalofríos** chills, **10.1**

escandinavo(a) Scandinavian

escapar to escape

el **escaparate** shop window, **13.1**

la **escena** scene; stage, **12.2**

    entrar en escena to come on the stage, **12.2**

escoger to choose

escolar of or pertaining to school, **3.1**

escribir to write, **5.2**

escrito(a) written

escuchar to listen, **4.1**

la **escuela** school, **1.1**

    la **escuela intermedia** intermediate school

    la **escuela primaria** elementary school

    la **escuela secundaria** high school, **1.1**

    la **escuela superior** advanced school

    la **escuela vocacional** vocational school

el/la **escultor(a)** sculptor, **12.2**

la **escultura** sculpture

eso that, **3.1**

    a eso de about, **3.1**

España Spain

español(a) Spanish, **2.2**

la **especialidad** specialty

el/la **especialista** specialist

especialmente especially

específico(a) specific

espectacular spectacular

el **espectáculo** show, performance, **12.2**

el/la **espectador(a)** spectator, **7**

el **espejo** mirror, **16.1**

esperar to wait for, **14**

la **espinaca** spinach

la **esposa** wife, **6.1**

el **esposo** husband, **6.1**

el **esquí** ski, **9.1**

el **esquí** skiing, **9.1**

    el **esquí alpino** Alpine skiing, **9.1**

    el **esquí acuático** water skiing, **11.1**

    el **esquí de descenso** downhill skiing, **9.1**

    el **esquí de fondo** distance skiing, **9.1**

    el **esquí nórdico** Nordic skiing, **9.1**

el/la **esquiador(a)** skier, **9.1**

esquiar to ski, **9.1**

establecer to establish

la **estación** season, **9.1**; station, **12.1**

    la **estación de ferrocarril** train station, **14.1**

el **estadio** stadium, **7.1**

el **estado** state

    el **estado libre asociado** commonwealth

los **Estados Unidos** United States

estadounidense from the United States

están they/you (pl. form.) are, **4.1**

estar to be, **4.1**

    estar enfermo(a) to be sick

    estar en onda to be in vogue

estás you (sing. fam.) are

estatal of the state

la **estatua** statue, **12.2**

el **este** east

este(a) this

el **estilo** style

el **estómago** stomach, **10.1**

    el **dolor de estómago** stomachache, **10.1**

estornudar to sneeze, **10.1**

estoy I am

estrecho(a) tight, **13.2**

la **estrella** star

la **estructura** structure

el/la **estudiante** student

estudiar to study, **3.2**

el **estudio** study

estupendo(a) terrific

la **etnicidad** ethnicity

el **eucalipto** eucalyptus tree

la **Europa** Europe

europeo(a) European
la **evaluación** evaluation
exacto(a) exact
el **examen** examination, **3.2**
examinar to examine, **10.2**
la **excepción** exception
el **exceso** excess
exclusivamente exclusively
la **excursión** excursion
existir to exist
exótico(a) exotic
el **experimento** experiment
experto(a) expert, **9.1**
explicar to explain
el/la **explorador(a)** explorer
exponer to explain, expound
la **exposición** exhibition, **12.2**
la **expresión** expression
extender to extend
extranjero(a) foreign
extraordinario(a) extraordinary
extremo(a) extreme

F

fabuloso(a) fabulous
fácil easy, **2.1**
facturar to check (luggage), **8.1**
facultativo(a) optional
la **falda** skirt, **13.1**
falso(a) false
la **falta** lack
faltar to lack
la **fama** fame
la **familia** family, **5.1**
familiar of the family
famoso(a) famous
fanfarrón(a) boasting, **9.1**
fantástico(a) fantastic, **1.2**
el/la **farmacéutico(a)** pharmacist, **10.2**
la **farmacia** pharmacy, **10.2**
fascinante fascinating
febrero February, **BV**
la **fecha** date, **BV**
¿**Cuál es la fecha de hoy?** What is today's date?, **BV**
el **fenómeno** phenomenum
la **feria** fair
el **ferrocarril** railway, railroad
festejar to celebrate
la **fibra** fiber, **10.2**
la **fiebre** fever, **10.1**
la **fiesta** party, **4.2**

la **figura** figure
la **fila** row, **8**
el **film(e)** film, **12.1**
el **fin** end
el **fin de semana** weekend
en fin finally
el **final** end
el **fiordo** fiord
la **física** physics, **2.2**
el/la **físico** physicist
físico(a) physical, **10.2**
la **fisiología** physiology
flamenco(a) Flemish
la **flexibilidad** flexibility
la **flor** flower, **6.2**
la **formación** formation
formal formal
formar to form, make
la **formulación** formation
el **formulario** form
la **foto** photo
francés (francesa) French, **2.2**
la **frecuencia** frecuence
con frecuencia frequently
frecuentar to frequent
frecuentemente frequently
freír (i, i) to fry, **15.1**
frente a facing, opposite
fresco(a) fresh, cool
hace fresco it's cool
el **frijol** bean, **15.2**
el **frío** cold (weather), **9.1**
hace frío it's cold, **9.1**
frito(a) fried
la **frontera** frontier
la **fruta** fruit, **15.2**
fuerte strong
la **función** function
funcionar to function
el/la **fundador(a)** founder
fundir to found
el **fútbol** football, **7.1**
el **campo de fútbol** football field, **7.1**

G

la **gabardina** raincoat, **13.1**
las **gafas** glasses, **9.1**
el **galón** gallon
gallego(a) Galician
la **gamba** shrimp (Spain)
el **ganado** cattle
el/la **ganador(a)** winner

ganar to win, **7.1**; to earn
la **ganga** bargain
el **garaje** garage, **6.2**
la **garganta** throat, **10.1**
el **dolor de garganta** sore throat, **10.1**
gas: con gas carbonated
la **gaseosa** soft drink, soda, **5.2**
la **gasolinera** gas station
el **gato** cat, **6.1**
la **generación** generation
el **general** general
generalizar to generalize
la **gente** people
la **geografía** geography, **2.2**
geográfico(a) geographic
la **geometría** geometry, **2.2**
el **género** kind, sort, type
gigantesco(a) gigantic, huge
el **gimnasio** gymnasium
el **glaciar** glacier
el **gol** goal, **7.1**
el **golf** golf, **11.2**
el **campo de golf** golf course, **11.2**
el **juego de golf** golf game, **11.2**
la **bolsa de golf** golf bag, **11.2**
golpear to hit, **11.2**
la **goma** eraser, **BV**
el **gorro** cap, **9.1**
gozar to enjoy
gracias thank you, **BV**
el **grado** grade; degree, **9.1**
gran, grande big, **2.1**
Las Grandes Ligas Major League
grave serious, grave
el **green** green (golf), **11.2**
griego(a) Greek
la **gripe** influenza, cold, **10.1**
gris grey, **13.2**
gritar to shout
el **grupo** group
el **guante** glove, **7.2**
guardar cama to stay in bed, **10.1**
la **guerra** war
la **guitarra** guitar, **4.2**
gustar to like, **13.1**

H

haber to have (auxiliary verb)
la **habichuela** bean, **15.2**
la **habitación** room, **5.1**
el/la **habitante** inhabitant
hablar to speak, **3.1**
hace: hace calor it's hot, **11.1**
hace frío it's cold, **9.1**
hace mucho tiempo a long time ago
hace muchos años it's been many years
hacer to do; to make, **8.1**
hacer el viaje to make the trip, **8.1**
hacer juego con to go with, **13.2**
hacer la maleta to pack the suitcase, **8**
hacia toward
el **hallazgo** finding
la **hamaca** hammock, **11.1**
la **hambre** hunger, **15.1**
tener hambre to be hungry, **15.1**
la **hamburguesa** hamburger
hasta until, **BV**
hasta la vista see you later, **BV**
hasta luego see you later, **BV**
hasta mañana see you tomorrow, **BV**
hasta pronto see you soon, **BV**
hay there is, there are, **5.1**
hay sol it's sunny, **11.1**
el **helado** ice cream, **5.2**
el **hemisferio** hemisphere
herbívoro(a) herbivorous
el/la **herbolario(a)** herbalist
heredar to inherit
el/la **hermanastro(a)** stepbrother (stepsister)
el/la **hermano(a)** brother (sister), **2.1**
el/la **héroe** hero
la **hibridación** hybridization
el **hielo** ice, **9.2**
la **hierba** herb
el/la **hijastro(a)** stepson (stepdaughter)
el/la **hijo(a)** son (daughter), **6.1**
los **hijos** children (sons and daughters), **6.1**

el **hipopótamo** hippopotamus
hispánico(a) Hispanic
hispano(a) Hispanic
la **historia** history, **2.2**; story
el/la **historiador(a)** historian
histórico(a) historic
el **hit** hit (sports), **7.2**
la **hoja** sheet, **BV**; blade, **9.2**
la **hoja de papel** sheet of paper, **BV**
hola hello, **BV**
el **hombre** man
el **hombro** shoulder
honesto(a) honest, **1.2**
el **honor** honor
la **hora** hour; time
el **horario** schedule, **14.1**
el **hornillo** portable stove, **16.2**
el **hospital** hospital, **10.2**
el **hotel** hotel
hoy today, **11.2**
hoy en día nowadays
¿Cuál es la fecha de hoy? What is today's date?, **BV**
el **hoyo** hole, **11.2**
el **huevo** egg, **15.2**
los **huevos duros** hardboiled eggs
los **huevos pasados por agua** poached eggs
el/la **humanista** humanist
humano(a) human
humilde humble
el **humor** mood, **10**; fluid
de buen humor in a good mood, **10**
de mal humor in a bad mood, **10**
el **huso horario** time zone

I

la **idea** idea
idéntico(a) identical
la **identidad** identity
identificar to identify
el **idioma** language
el/la **ídolo(a)** idol
la **iglesia** church
igual equal
el **imperio** empire
la **importancia** importance
importante important
imposible impossible

impresionado(a) impressed
impresionante amazing, impressive
incluso including
increíble incredible
independiente independent
indígena native
individual individual, **7**
el/la **individuo** individual
la **industria** industry
industrializado(a) industrialized
el/la **infante(a)** infant
inferior inferior; lower
el **infierno** hell
la **influencia** influence
la **información** information
informal informal
informar to inform
el **informe** report
el **inglés** English, **2.2**
inhóspito(a) inhospitable
inmenso(a) immense
el/la **inquilino(a)** tenant
inspeccionar to inspect, **8.2**
inspirar to inspire
instalarse to establish oneself
la **institución** institution
el **instituto** institute
las **instrucciones** instructions, **5.2**
el **instrumento** instrument
insuficiente incompetent
el **insulto** insult
íntegro(a) integral
inteligente intelligent, **2.1**
intercambio exchange
interesante interesting, **2.1**
el **interés** interest
interesar to interest, **13.1**
internacional international
el/la **intérprete** interpreter
interrogativo(a) interrogative
la **investigación** investigation
el **invierno** winter, **9.1**
la **invitación** invitation, **5.2**
invitar to invite, **4.2**
ir to go, **4.1**
ir a... to go to, **6**
ir de camping to go camping, **16.2**
la **isla** island
el **istmo** isthmus
italiano(a) Italian, **2.2**
la **izquierda** left, **5.1**
a la izquierda to the left, **5.1**

J

el **jabón** soap, **16.2**
el **jamón** ham, **15.2**
japonés (japonesa) Japanese
el/la **jardinero(a)** outfielder (sports), **7.2**
el **jardín** garden, **6.2**
el/la **jefe(a)** leader, chief
el **jersey** sweater, **13.1**
el **jonrón** home run, **7.2**
el/la **joven** young person
joven young, **6.1**
las **joyas** jewelry
el **juego** game
el **jueves** Thursday, **BV**
el/la **jugador(a)** player, **7.1**
jugar (ue) to play, **7.1**
el **jugo** juice
julio July, **BV**
la **jungla** jungle
junio June, **BV**
juntos(as) together
el **juramento** oath

K

el **kilogramo** kilogram
el **kilómetro** kilometer

L

la the (f. sing.), **1.1**
el **laboratorio** laboratory
el **lago** lake
la **lana** wool
la **langosta** lobster
la **lanza** spear
el/la **lanzador(a)** pitcher, **7.2**
lanzar to throw, **7.1**
el **lápiz** pencil, **5.2**
largo(a) long, **13.2**
largo: a lo largo de along the
las the (f. pl.)
la **lástima** pity
la **lata** can
el **latín** Latin, **2.2**
la **Latinoamérica** Latin America
latinoamericano(a) Latin American
la **latitud** latitude
lavarse to wash oneself, **16.1**
le (pron.) him, her, you (form.)

la **lección** lesson, **3.2**
la **lectura** reading
la **leche** milk, **5.2**
el **lechón** suckling pig
la **lechuga** lettuce, **15.2**
leer to read, **5.2**
la **legumbre** vegetable, **15.2**
lejano(a) distant
la **lengua** language, **2.2**
la lengua materna mother tongue
les (pron.) them, you (form.)
levantarse to get up, **16.1**
la **ley** law
la **leyenda** legend
la **libra** pound
libre free, **14.2**
la **libreta** notebook, **3.2**
el **libro** book, **BV**
el **liceo** primary school in México, but high school in most places
ligero(a) light
el **límite** limit; boundary
la **limonada** lemonade, **BV**
limpio(a) clean
la **línea** line
la **línea aérea** airline, **8.1**
la **linfa** lymph
la **linterna** lantern, **16.2**
la **liquidación** sale
el **líquido** liquid
la **litera** berth, **14.2**
la **literatura** literature
el **litro** liter
el **lobo de mar** sea lion
la **localidad** seat (in theater), **12.1**
la **longitud** longitude
los the (m. pl.)
la **lucha** fight
luchar to fight
luego then
el **lugar** place
lujo: de lujo deluxe
el **lunes** Monday, **BV**
la **luz** light

LL

llamarse to be called, named, **16.1**
la **llegada** arrival, **8.1**
el tablero de llegadas y salidas arrival and departure board, **8.1**

llegar to arrive, **3.1**
llevar to carry, **3.2**; to wear

M

la **madera** wood
la **madre** mother, **6.1**
el/la **madrileño(a)** native of Madrid
la **madrina** godmother
maestro(a) teacher, master
magnífico(a) magnificent
el **maíz** corn
la **maleta** suitcase, **8.1**
hacer la maleta to pack the suitcase, **8**
el/la **maletero(a)** trunk, **8.1**
malo(a) bad, **1**
la **mamá** mom, **5.2**
manejar to drive
manera way, manner, **1.1**
de ninguna manera by no means, **1.1**
la **manga** sleeve, **13.2**
el **mango** handle, **11.2**
la **manía** mania
la **mano** hand, **7.1**
el equipaje de mano hand baggage, **8.1**
la **mansión** mansion
el **mantel** tablecloth, **15.1**
mantener maintain
el **mantenimiento** maintenance
la **mañana** morning
esta mañana this morning, **11.2**
mañana tomorrow
el **mapa** map
el **mar** sea, **11.1**
marcar to score (sports), **7.1**
el **marido** husband, **6.1**
el **marisco** shellfish, **15.2**
el **martes** Tuesday, **BV**
marzo March, **BV**
más more
la **masa** mass
matar to kill
las **matemáticas** mathematics, **2.2**
la **materia** material, **2.2**
materno(a) maternal
el **matrimonio** wedding; marriage
el/la **maya** Maya, Mayan
mayo May, **BV**
mayor great, greater, greatest
la **mayoría** majority

mayormente principally, mainly

me (to, for) me

la **media** sock, stocking, **13.1**

media: y media half past the hour

la **medianoche** midnight, **2**

el **medicamento** medication, **10.2**

la **medicina** medicine, **10**

el/la **médico(a)** doctor, **10.2**

la **medida** measurement

medieval medieval

el **medio** mean, way

medio(a) middle

la clase media middle class

medio: a término medio medium (cooked), **15.2**

el **mediodía** midday, noon, **2**

medir to measure

el **mejillón** mussel

menos less

menos de less than

mental mental

el **menú** menu, **12.2**

el **mercado** market

el **meridiano** meridian

la **merienda** snack, **4.1**

la **mermelada** marmalade

el **mes** month

la **mesa** table, **12.2**

el/la **mesero(a)** waiter (waitress), **12.2**

meter to put in, **7.1**

métrico(a) metric

el **metro** meter; subway, **12.1**

mexicano(a) Mexican, **1.1**

mezclar to mix

mi my

el **microscopio** microscope

microscópico(a) microscopic

el/la **miembro(a)** member

mientras while

el **miércoles** Wednesday, **BV**

la **migración** migration

mil (one) thousand, **BV**

la **milla** mile

el **millón (de)** million

el/la **millonario(a)** millonaire

el **minuto** minute

mirar to look at, **3.2**

mirarse to look at oneself, **16.1**

mismo(a) same

mixto(a) mixed

la **mochila** bookbag, knapsack, **BV**

la **moda** style

de moda in style

el **modelo** model

moderno(a) modern

modesto(a) modest

el/la **modisto(a)** designer (clothes)

molestar to bother, **13**

el **momento** moment

en este momento at this moment, **8.1**

el **monopatín** skateboard

la **montaña** mountain, **9.1**

montañoso(a) mountainous

moreno(a) dark, **1.1**

morir (ue, u) to die, **15**

el **mostrador** counter, **8.1**

mostrar to show

el **motor** motor

la **motricidad** motor function

el/la **mozo(a)** porter, **14.1**

la **muchacha** girl, **BV**

el **muchacho** boy, **BV**

mucho(a) a lot; many, **5**

mucho gusto nice to meet you, **BV**

la **mujer** woman, **6.1**

múltiple multiple

mundial worldwide

la Copa mundial World Cup

la Serie mundial World Series

el **mundo** world

el **mural** mural, **12.2**

el **museo** museum, **12.2**

la **música** music, **2.2**

musical musical, **12.2**

el/la **músico** musician, **12.2**

muy very, **1.1**

N

nacer to be born

el **nacimiento** birth

nacional national

la **nacionalidad** nationality, **1**

nada nothing, **13.1**

nadar to swim, **11.1**

nadie no one, nobody, **13**

los **narcóticos** narcotics

natural natural

la **naturaleza** nature

el/la **naturalista** naturalist

la **navaja** razor, **16.1**

necesario(a) necessary

necesitar to need

negro(a) black, **13.2**

nervioso(a) nervous, **10.1**

la **nevada** snowfall, **9.1**

nevar (ie) to snow, **9.1**

Nieva. It is snowing., **9**

ni... ni neither... nor

ni yo tampoco me neither, **13**

nicaragüense Nicaraguan

el/la **nieto(a)** grandchild, **6.1**

los **nietos** grandchildren, **6.1**

la **nieve** snow, **9.1**

ninguno(a) not any, none, **1.1**

de ninguna manera by no means, **1.1**

el **nivel** level

el nivel del mar sea level

no no

No hay de qué. You're welcome. **BV**

el **noble** noble

nocturno(a) nocturnal

la **noche** night

esta noche tonight, **11.2**

el **nombre** name

el **norte** north

norteamericano(a) North American

nos us (pron.)

nosotros(as) we, **2.2**

la **nota** grade, **3.2**

notable outstanding

las **noticias** news, **5.2**

la **novela** novel, **5.2**

noveno(a) ninth, **5.1**

noventa ninty, **BV**

noviembre November, **BV**

el/la **novio(a)** boyfriend (girlfriend); fiancé(e)

la **nube** cloud, **11.1**

nublado(a) cloudy, **11.1**

está nublado it's cloudy, **11.1**

nuestro(a) our

nueve nine, **BV**

nuevo(a) new, **6.2**

el **número** number, **8.1**

el número del vuelo flight number, **8.1**

el número del asiento seat number, **8.1**

nunca never, **13.1**

la **nutrición** nutrition

O

o or
el **objetivo** objective
el **objeto** object
obligar to force
obligatorio(a) obligatory
la **obra** work, **12.2**
obrar to work
observar to observe
obvio(a) obvious
occidental western
el **océano** ocean
    el **Océano Atlántico** Atlantic Ocean
    el **Océano Pacífico** Pacific Ocean
octavo(a) eighth, **5.1**
octubre October, **BV**
ocupado(a) occupied, **14.2**
ocupar to occupy
ochenta eighty, **BV**
ocho eight, **BV**
la **oferta** offer
ofrecer to offer
oír to hear
la **ola** wave, **11.1**
la **oliva** olive
omnívoro(a) omnivorous
la **onza** ounce
la **opción** option
la **opereta** operetta
opinar to think
la **oración** sentence
el **orangután** orangutan
orgánico(a) organic
el **organismo** organism
oriental eastern
el **origen** origin
original original
originario(a) originating; native, descendant
la **orilla** bank (of a river), **16.2**
el **oro** gold
la **orquesta** orchestra, **12.2**
el **otoño** autumn, **7.1**
otro(a) other, **2.2**
el **out** out (sports), **7.2**
la **ovación** ovation
ovalado(a) oval
la **oveja** sheep
oye listen

P

el **padre** father, **6.1**
los **padres** parents, **6.1**
el **padrino** godfather
los **padrinos** godparents
pagar to pay, **13.1**
el **pago** pay
el **país** country
el **paisaje** countryside
la **palabra** word
el **palacio** palace
la **palmera** palm tree
el **palo** club, **11.2**
el **pan** bread, **15.2**
    el **pan tostado** toast
panameño(a) Panamanian
el **panqueque** pancake
los **pantalones** pants, **13.1**
    el **pantalón corto** shorts
    el **traje pantalón** pantsuit
la **pantalla** screen, **8.1**
el **papá** dad, **5.2**
la **papa** potato, **5.2**
    las **papas fritas** french fries
el **papel** paper, **BV**
    la **hoja de papel** sheet of paper, **BV**
    el **papel higiénico** toilet paper, **16.2**
para for; to
la **parada** stop, **14.2**
el **paramecio** paramecium
parar to stop, **7.1**
el **parasol** parasol, **11.1**
parecer to seem
la **pareja** couple
el/la **pariente** relative
el **parque** park, **6.2**
la **parte** part
particular private; particular, **5.1**
el **partido** game, **7.1**
el **pasado** past
el/la **pasajero(a)** passenger, **8.1**
el **pasaporte** passport, **8.1**
    el **control de pasaportes** passport inspection, **8.1**
pasar to pass, **7.2**; to happen
el **pasatiempo** pastime, hobby
el **pase de abordar** boarding pass, **8.1**
el **paseo** stroll, walk
el **pasillo** corridor, **14.2**
la **pasta dentífrica** toothpaste, **16.2**

la **pastelería** pastry shop
la **pastilla** pill, **10.2**; bar (of soap), **16.2**
el/la **pastor** shepherd
    el **pastor vasco** Basque shepherd
la **patata** potato
paterno(a) paternal
el **patín** skate, **9.2**
el **patinadero** skating rink, **9.2**
el/la **patinador(a)** skater, **9.2**
el **patinaje** skating, **9.2**
    el **patinaje artístico** figure skating, **9.2**
    el **patinaje sobre hielo** ice-skating, **9.2**
    el **patinaje sobre ruedas** roller skating, **9.2**
    la **pista de patinaje** skating rink, **9.2**
patinar to skate, **9**
el **patio** patio, courtyard
la **patología** pathology
la **patria** homeland, native land
patrón (patrona) patron, patron saint
el **pecho** chest, **10.2**
pedir (i, i) to ask for, **15.1**
peinarse to comb one's hair, **16.1**
el **peine** comb, **16.2**
la **película** movie, film, **5.2**
    dar (presentar) una película to show a movie, **12**
el **peligro** danger
el **pelo** hair, **16.1**
la **pelota** ball, **7.2**
la **península** peninsula
pensar to think
la **pensión** boarding house, **16.2**
pequeño(a) small, **2.1**
la **percepción** perception
perder (ie) to lose, **7.1**
    perder el autobús to miss the bus, **12.1**
perdón excuse me
el **peregrinaje** pilgrimage
el **perfume** perfume
la **perfumería** perfume shop
el **periódico** newspaper, **5.2**
perjudicial harmful
permanente permanent
permitir to permit
pero but

el **perro** dog, **6.1**
la **persona** person
personal personal
el **pescado** fish, **15.2**
el/la **pescador(a)** fisherman/woman
pescar to fish
el **peso** weight
el/la **pianista** pianist
el **piano** piano, **4.2**
el **pico** peak
el/la **pícher** pitcher, **7.2**
el **pie** foot, **3.1**
a pie on foot, **3.1**
la **piel** skin
la **píldora** pill, **10.2**
el/la **piloto** pilot, **8.2**
la **pimienta** pepper, **15.1**
el **pinar** pine grove
el **pino** pine tree
la **pinta** pint
pintar to paint
el/la **pintor(a)** painter
pintoresco(a) picturesque
la **pintura** painting
la **piscina** swimming pool, **11.2**
el **piso** floor, **5.1**
la **pista** trail, **9.1**
la pista de patinaje skating rink, **9.2**
la **pizarra** chalkboard, **BV**
el **pizarrón** chalkboard, **3.2**
el **plan** plan
la **plancha de vela** sailboard, **11.1**
la **planta** floor; plant, **6.2**
la planta baja ground floor, **5.1**
plástico(a) plastic
la **plata** silver
el **plátano** plantain
el **platillo** base, **7.2**; saucer, **15.1**
el **platino** platinum
el **plato** plate, dish, **15.1**
la **playa** beach, **11.1**
playero(a) of the beach, **11.1**
la toalla playera beach towel, **11.1**
plegable folding, **11.1**
la **población** population
pobre poor
poco(a) little, small (amount), **5.2**
poder (ue) to be able, **7.1**
el **poder extranjero** foreign power
el **poema** poem
polar polar

político(a) political
los **políticos (parientes)** in-laws, **6**
el **pollo** chicken, **15.2**
el **poncho** poncho, cape
poner to put, **8.1**
ponerse to put on, **16.1**
poner la mesa to set the table
popular popular, **2.1**
la **popularidad** popularity
poquito más a little more
por about, for, by
por consiguiente consequently
por ejemplo for example
por encima over, **7.2**
por eso therefore
por favor please, **BV**
por lo menos at least
¿por qué? why?
porque because
la **portería** goal, **7.1**
el/la **portero(a)** goalkeeper, **7.1**
posible possible
la **postre** dessert, **5.2**
practicar to practice
el **precepto** precept
el **precio** price, **13.1**
precioso(a) precious, beautiful, **6.2**
la **preferencia** preference
preferir (ie, i) to prefer, **7**
el **prefijo** prefix
preguntar to ask
el **premio** prize
la **prenda** garment, article of clothing
la **preparación** preparation
preparar to prepare, **4.1**
presentar to present, **12**
presentar (dar) una película to show a movie, **12**
el **presente** present
el/la **presidente(a)** president
primario(a) primary
la **primavera** spring, **7.2**
primer, primero(a) first, **BV**
el/la **primo(a)** cousin, **6.1**
principal main
principiante beginning, **9.1**
principio: al principio in the beginning
la **prisa** haste, hurry
dar prisa to rush, hurry
privado(a) private, **5.1**

probable probable
probar to try; to taste
el **problema** problem
el **proceso** process
producir to produce
el **producto** product
el/la **productor(a)** producer
la **profesión** profession
profesional professional
el/la **profesor(a)** teacher, **2.1**
profundo(a) profound
el **programa** program
el/la **propietario(a)** owner
la **propina** tip, **12.2**
propio(a) one's own
protector(a) protective, protecting, **11.1**
la **proteína** protein, **10.2**
protestante Protestant
próximo(a) next, **14.2**
la **prueba** test
publicado(a) published
el **público** public; audience, **12.2**
público(a) public
el **pueblo** town, **5.1**; people
el **puente** bridge
el **puerco** pork
la **puerta** gate, **8.1**
la puerta de salida departure gate, **8.1**
el **puerto** port
puertorriqueño(a) Puerto Rican, **2**
pues well
la **pulgada** inch
pulmonar pulmonary
el **punto** dot, **3.1**
en punto on the dot, **3.1**

Q

que that
qué what; how, **BV**
¿Qué es? What is it?, **BV**
¿Qué tal? How are you?, **BV**
¿Qué hora es? What time is it?, **2**
¿Qué tiempo hace? What's the weather like?, **9.1**
quedarse to stay, remain, **13.2**
quedar empatado(a) to end up tied (sports), **7.1**
me queda bien it looks good on me, **13.2**

querer (ie) to want, 7
    querer decir to mean
el queso cheese, 15.2
    ¿quién? who?, BV
    ¿Quién es? Who is it?, BV
la química chemistry, 2.2
el/la químico chemist
la quinceañera young woman's fifteenth birthday
    quinto(a) fifth, 5.1
el quiosco newstand, 14.1
    quizás perhaps

R

la rama branch
    rápidamente quickly
    rápido fast, 9.1
la raqueta raquet, 11.2
el rasgo feature
    rayas: a rayas striped, 13.2
el rayo ray
la razón reason
    razonable reasonable
    realizar to carry out, put into effect
    realmente really; actually
la rebaja reduction
la rebanada slice
el/la receptor(a) catcher (sports), 7.2
la receta prescription, 10.2
    recetar to prescribe, 10
    recibir to receive, 6
    reciente recent
    reclamar to claim, 8.2
el reclamo de equipaje baggage claim, 8.2
    recoger to pick up, collect, 8.2
la recomendación recommendation
    recomendar to recommend
    recordar to remember
el recorrido distance traveled, trip
la red net, 7.2
    redondo(a) round
    reducido(a) reduced
    referir to refer
    reflejar to reflect
    refrán proverb
el refresco soft drink, 4.1
el refugio refuge
el regalo gift, 6.2
el régimen regimen
la región region

regresar to return
el regreso return
    regular regular
    reinar to reign
la relación relationship
    relativamente relatively
    religioso(a) religious
    rellenar to fill
    remontar to go back (to some date in time)
    repetir (i, i) to repeat, 15
la representación performance, 12.2
    representar to represent
la reproducción reproduction
la república republic
    requerir to require
la reserva reserve
    reservado(a) reserved, 14.2
    residencial residential
    resolver to resolve
el restaurante restaurant, 12.2
el resultado result
    resultar to result
el retraso delay, 14.2
    con retraso late, 14.2
    revisar to inspect, 8
el/la revisor(a) (train) conductor, 14.2
la revista magazine, 5.2
    revolucionario(a) revolutionary
    revueltos scrambled (eggs)
el rey king
    rico(a) rich; tasty, 15.2
    riguroso(a) rigorous
el río river, 16.2
    robar to steal, 7.2
    rodar to roll
    rojo(a) red, 13.2
el rollo roll (of paper), 16.2
    romántico(a) romantic
la ropa clothes, 8.2
    rubio(a) blond(e), 1.1
la rueda wheel, roller, 9.2
el ruido noise
la ruina ruin

S

el sábado Saturday, BV
    saber to know how, 9.1
    sacar to get, receive, 3.2
el sacerdote priest
el saco jacket, 13.1

el saco de dormir sleeping bag, 16.2
la sal salt, 15.1
la sala living room, 4.1
    la sala de clase classroom, 3.1
    la sala de espera waiting room, 14.1
el saldo balance, total
la salida departure, 8.1
    la puerta de salida departure gate, 8.1
    el tablero de llegadas y salidas arrival and departure board, 8.1
    salir to leave, 8.1; to go out
el salón de clase classroom, 3.1
    saltar de to jump out
la salud health
    saludable healthy
las sandalias sandals, 13.1
el sándwich sandwich, 5.2
la sangre blood
el/la santo(a) saint, saint's day
la sección de no fumar nonsmoking section, 8.1
el sector section
    secundario(a) secondary, 1.1
    la escuela secundaria high school, 1.1
    secuoya sequoia
la sed thirst, 15.1
    tener sed to be thirsty, 15.1
el segmento segment
    segregar to segregate
    seguida: en seguida at once, immediately
    seguir (i, i) to follow, 15
    segundo second, 5.1
la seguridad security, 8.1
    el control de seguridad security inspection, 8.1
    según according to
    seis six, BV
la selva rainforest
la semana week, 11.2
    la semana pasada last week, 11.2
el semestre semester
el/la senador(a) senator
    sencillo(a) simple, 14.1
la sensación sensation
    sentarse (ie) to sit down, 16.1
    Me sienta bien. It fits me well. 13.1

el **señor** Mr., sir, **BV**
la **señora** Mrs., ma'am, **BV**
la **señorita** Miss, **BV**
separado(a) separated
septiembre September, **BV**
el **ser** being
ser to be, **1**
la **serie** series
la Serie mundial World Series
serio(a) serious, **1.2**
el **servicio** service
la **servilleta** napkin, **15.1**
servir (i, i) to serve, **15.1**
sesenta sixty, **BV**
la **sesión** session; sitting, **12.1**
setenta seventy, **BV**
severo(a) severe
sexto(a) sixth, **5.1**
séptimo(a) seventh, **5.1**
si if
sí yes
el **SIDA** AIDS
siempre always, **5.2**
la **sierra** mountain range
la **siesta** nap, **11.1**
echar (tomar) una siesta to take a nap, **11.1**
siete seven, **BV**
el **siglo** century
significar to mean
siguiente following
la **silla** chair, **BV**
la silla plegable folding chair, **11.1**
simple simple
simplemente simply
sin without
sin embargo nevertheless
sin escala nonstop
la **sinagoga** synagogue
sincero(a) sincere, **1.2**
el **síntoma** symptom, **10.2**
el **sistema** system
el sistema nervioso nervous system
la **situación** situation
el **slálom** slalom, **9.1**
sobre above, over; about
sobre todo especially, above all
sobresaliente outstanding
sobrevolar to fly over
la **sobrina** niece, **6.1**
el **sobrino** nephew, **6.1**

los **sobrinos** niece(s) and nephew(s), **6.1**
social social
la **sociedad** society
sociología sociology, **2.2**
el/la **sociólogo(a)** sociologist
sofisticado(a) sophisticated
el **sol** sun, **11.1**
hay sol it's sunny, **11.1**
tomar el sol to sunbathe, **11.1**
solamente only
el/la **soldado** soldier
soler to tend to, to be accustomed
solo(a) alone
sólo only
el **sombrero** hat, **13.1**
la **sombrilla** umbrella, **11.1**
somos we are, **2.2**
son they/you (pl. form.) are, **2.1**
la **sopa** soup, **5.2**
soportar to support
sorprender to surprise, **13**
soy I am, **1.2**
su his, her, your (form.), their
la **subcultura** subculture
subir to go up, **5.1**
subir a to get on, to board, **8.1**
subscribir to subscribe
subsistir to continue to exist
la **substancia** substance
subterráneo(a) underground, **12**
el **subtítulo** subtitle
los **suburbios** suburbs, **5.1**
sucesivo(a) successive
sudamericano(a) South American
el **suelo** ground, **7**
el **sueño** dream
la **suerte** luck
el **suéter** sweater, **13.1**
sufrir to suffer
la **superficie** surface
superior superior; higher
el **supermercado** supermarket
el **sur** south
el **suroeste** southwest
suspenso(a) failing
la **sustancia** substance

T

el **T shirt** T shirt, **13.1**
la **tabla hawaiiana** surfboard
el **tablero** scoreboard, **7.2**; board, **8.1**
el tablero de llegadas y salidas arrival and departure board, **8.1**
el tablero indicador scoreboard, **7.1**
el **tacón** heel, **13.2**
tal such
el **talco** talcum powder
el **talento** talent
el **talón** luggage claims ticket, **8.1**
la **talla** size, **13.1**
el **tamaño** size, **13.1**
también also, too, **1.1**
tampoco neither, either
ni yo tampoco me neither, **13**
tan so
el **tanto** point (score), **7.1**
la **taquilla** ticket office, **12.1**
la **tarde** afternoon
esta tarde this afternoon, **11.2**
tarde late, **8.1**
la **tarifa** fare, rate
la **tarjeta** card, **5.2**
la tarjeta de crédito credit card, **13.1**
la tarjeta de embarque boarding card, **8.1**
la tarjeta postal postcard, **5.2**
el **taxi** taxi, **8.1**
la **taza** cup, **15.1**
te you (fam. pron.)
el **té** tea
teatral theatrical, **12.2**
el **teatro** theater, **12.2**
la **técnica** technique
técnico(a) technical
el **teléfono** telephone, **4.1**
por teléfono on the phone, **4.1**
la **telenovela** soap opera, **5.2**
el **telesilla** chair lift, **9.1**
el **telesquí** ski lift, **9.1**
la **televisión** television, **4.1**
el **televisor** television (set)
el **telón** curtain, **12.2**
el **tema** theme

la **temperatura** temperature, **9.1**
la **tempestad** storm
el **templo** temple
el **tenedor** fork, **15.1**
tener to have, **6.1**
    tener... años to be... years old, **6.1**
    tener hambre to be hungry, **15.1**
    tener que to have to, **6**
    tener sed to be thirsty, **15.1**
los **tenis** tennis shoes, **13.1**
el **tenis** tennis, **11.2**
    la **cancha de tenis** tennis court, **11.2**
    el **juego de tenis** tennis game, **11.2**
la **teoría** theory
tercer(o) third, **5.1**
terminar to end
el **término** term, word
la **terraza** terrace
el **territorio** territory
la **tía** aunt, **6.1**
el **tiempo** time, **7.1**; weather
    a tiempo on time, **8.1**
    a tiempo completo full time
    a tiempo parcial part time
    al mismo tiempo at the same time
    hace mucho tiempo a long time ago
la **tienda** store, **4.1**
    armar una tienda to put up a tent, **16.2**
    la **tienda de campaña** tent, **16.2**
    la **tienda de departamento** department store
    la **tienda de ropa para caballeros (señores)** men's clothing store, **13.1**
    la **tienda de ropa para damas (señoras)** women's clothing store, **13.1**
la **tierra** land
    la **Tierra Santa** Holy Land
el **tigre** tiger
tímido(a) timid, shy, **1.2**
tinto(a) red
el **tío** uncle, **6.1**
los **tíos** aunt(s) and uncle(s), **6.1**
típicamente typically
típico(a) typical
el **tipo** type

tirar to throw, **7.1**
titulado(a) entitled
el **título** degree
la **tiza** chalk, **BV**
la **toalla playera** beach towel, **11.1**
tocar to play (an instrument), **4.2**; to touch, **7**
el **tocino** bacon
todavía yet, still
todo everything
todo(a) every, all, **4.2**
    en todas partes everywhere
    sobre todo especially
    todo el mundo everybody
tomar to take, **3.2**; to drink, **4.1**
    tomar el sol to sunbathe, **11.1**
    tomar una ducha to take a shower, **16.2**
la **tonelada** ton
el **toro** bull
tórrido(a) torrid
la **torta** cake
la **tortilla** tortilla, **15.2**
torturar to torture
la **tos** cough, **10.1**
toser to cough, **10.1**
tostadito(a) tanned
el **tostón** fried plantain slice
totalmente totally
trabajar to work, **4.1**
el **trabajo** work, job
    el **trabajo a tiempo parcial** part-time work
la **tradición** tradition
tradicional traditional
la **traducción** translation
traer to bring, **8**
el **tráfico** traffic
el **traje** suit, **13.1**
    el **traje de baño** bathing suit, **11.1**
    el **traje pantalón** pantsuit
transbordar to transfer, **14.2**
transmitir to transmit
el **transporte** transportation, **12**
el **tratado** treatise
el **tratamiento** treatment
tratar to deal with
    tratar de to be about
treinta thirty, **BV**
el **tren** train, **14.1**
    el **tren de vía estrecha** narrow gauge train

subir al tren to get on the train, **14.2**
tres three, **BV**
la **trigonometría** trigonometry, **2.2**
la **tripulación** crew, **8.2**
triste sad, **10.1**
triunfante triumphant
triunfar to win, triumph
la **trompeta** trumpet, **4.2**
el **tronco** trunk
tropical tropical
el **truco** trick, device
tu your (sing. fam.)
tú you (sing. fam.)
el **tubo** tube, **16.2**
la **turbulencia** turbulence
turbulento(a) turbulent
el/la **turista** tourist, **12.2**

U

u or (used instead of **o** before words beginning with **o** or **ho**)
Uds., ustedes you (pl. form.), **2.2**
último(a) last
un(a) a, an, **BV**
único(a) only
la **unidad** unit
el **uniforme** uniform
unir to unite
la **universidad** university
uno(a) one, **BV**
uruguayo(a) Uruguayan
usar to use
el **uso** use

V

va he/she/it goes
las **vacaciones** vacation
el **vacío** vacuum
el **vagón** train car, **14.1**
valiente brave, valiant
el **valor** value
el **valle** valley
vamos we go, we are going
van they/you (pl. form.) go, **4.1**
la **variación** variation
variar to vary
la **variedad** variety

varios(as) several
vas you (sing. fam.) go, you are
  going
el **vaso** (drinking) glass, **5.2**
veces: a veces sometimes, **5.2**
la **vegetación** vegetation
el **vegetal** vegetable, **15.2**
el/la **vegetariano(a)** vegetarian
veinte twenty, **BV**
vencer to overcome, conquer
vender to sell, **5.2**
venezolano(a) Venezuelan
venir to come
venta: en venta for sale
la **ventanilla** ticket window, **9.1**
ver to see, to watch, **5.2**
el **verano** summer
el **verbo** verb
la **verdad** truth, **1.1**
  ¿no es verdad? isn't it true?,
    1.1
  ¿verdad? right?, **1.1**
verde green, **13.2**
la **verdura** vegetable, **15.2**
verificar to check
versátil versatile
la **versión** version
el **vestido** dress, **13.1**
  el **vestido de boda** wedding
    dress
vestirse (i, i) to get dressed,
  16.1

la **vez** time
  de vez en cuando now and
    then
  en vez de instead of
la **vía** track, **14.1**
viajar to travel
el **viaje** trip, **8.1**
  hacer el viaje to make the
    trip, **8.1**
la **víbora** snake
la **victoria** victory
victorioso(a) victorious
la **vida** life
viejo(a) old, **6.1**
el **viento** wind, **11.1**
  hace viento it's windy, **11.1**
el **viernes** Friday, **BV**
el **vino** wine
el **violín** violin, **4.2**
la **vista** view, **6.2**
la **vitamina** vitamin, **10.2**
la **vitrina** shop window, **13.1**
la **vivienda** housing
vivir to live, **5.1**
vivo(a) live
el **vocabulario** vocabulary
volar (ue) to fly
volcán volcano
el **vólibol** volleyball, **7.2**
volver (ue) to go back, **7.1**
  volver a to do again, **7.1**

vosotros(as) you (pl. fam.)
voy I go, I am going
el **vuelo** flight, **8.1**
  el/la asistente(a) de vuelo
    flight attendant, **8.2**
  el número del vuelo flight
    number, **8.1**
vuestro(a) your (pl. fam.)

Y

y and, **1.2**
ya already
el **yate** yacht
yo I, **1.2**

Z

la **zanahoria** carrot
las **zapatillas de baloncesto** tennis
  shoes
los **zapatos** shoes, **13.1**
el **zíper** zipper, **13.2**
la **zona** district, zone
  la **zona postal** postal zone
la **zoología** zoology
el **zumo de naranja** orange juice

VOCABULARIO
INGLÉS-ESPAÑOL

The *Vocabulario inglés-español* contains all productive vocabulary from the text.

The reference numbers following each entry indicate the chapter and vocabulary section in which the word is introduced. For example **2.2** means that the word first appeared actively in *Capítulo 2, Palabras 2*. Boldface numbers without a *Palabras* reference indicate vocabulary introduced in the grammar section of the given chapter. **BV** refers to the introductory *Bienvenidos* lesson.

A

a, an un(a), **BV**

to **ache** doler, **10.2**

    it hurts, aches me duele, **10**

actor el actor, **12.2**

actress la actriz, **12.2**

admission ticket la entrada, **7.2**

aerobic aeróbico(a), **10.2**

after después de, **4.1**

afternoon la tarde

    good afternoon buenas tardes, **BV**

    this afternoon esta tarde, **11.2**

agent el/la agente, **8.1**

airline la línea aérea, **8.1**

airplane el avión, **8.1**

airport el aeropuerto, **8.1**

algebra el álgebra, **2.2**

allergy la alergia, **10.2**

also también, **1.1**

always siempre, **5.2**

am soy, **1.2**

American americano(a), **1.2**

and y, **1.2**

to **anger** enojar, enfadar, **13**

to **annoy** enojar, enfadar, **13**

anorak el anorak, **9.1**

apartment el apartamento, **5.1**

to **applaude** aplaudir, **12.2**

April abril (m.), **BV**

aquatic acuático(a), **11.1**

are son, **2.1**; están, **4.1**

Argentinian argentino(a), **2.1**

arithmetic la aritmética, **2.2**

around alrededor de, **6.2**

arrival la llegada, **8.1**

    arrival and departure board el tablero de llegadas y salidas, **8.1**

to **arrive** llegar, **3.1**

art el arte, **2.2**

artist el/la artista, **12.2**

artistic artístico(a), **12**

to **ask for** pedir (i, i), **15.1**

to **assist** asistir, **5.2**

    at once enseguida, **16.1**

to **attend** asistir, **5.2**

    attractive atractivo(a), **1.2**

    audience el público, **12.2**

August agosto (m.), **BV**

aunt la tía, **6.1**

aunt(s) and uncle(s) los tíos, **6.1**

author el/la autor(a), **12.2**

autumn el otoño, **7.1**

avenue la avenida, **5.1**

B

backpack la mochila, **14.1**

bad malo(a), **1**

baggage el equipaje, **8.1**

    baggage claim el reclamo de equipaje, **8.2**

    hand baggage el equipaje de mano, **8.1**

balcony el balcón, **6.2**

ball el balón, **7.1**; la pelota, **7.2**; la bola, **11.2**

ballpoint pen el bolígrafo, **BV**

bank (of a river) la orilla, **16.2**

bank el banco, **BV**

bar la barra, **16.2**

base el base, el platillo, **7.2**

baseball el béisbol, **7.2**

basket el cesto, el canasto, **7.2**

basketball el baloncesto, el básquetbol, **7.2**

bat el bate, **7.2**

bather el/la bañador(a), **11.1**

bathing suit el traje de baño, **11.1**

bathroom el cuarto de baño, **5.1**

batter el/la bateador(a) **7.2**

to **be able** poder (ue), **7.1**

to **be called** llamarse, **16.1**

to **be named** llamarse, **16.1**

to **be** ser, **1**; estar, **4.1**

    to be… years old tener… años, **6.1**

    to be hungry tener hambre, **15.1**

    to be thirsty tener sed, **15.1**

    to be tied (sports) quedar empatado(a), **7.1**

beach la playa, **11.1**

beach resort el balneario, **11.1**

beach towel la toalla playera, **11.1**

beach, of the playero(a), **11.1**

bean el frijol, la habichuela, **15.2**

beautiful precioso(a), **6.2**

bed la cama, **10.1**

bedroom el cuarto de dormir, el dormitorio, **5.1**

beefsteak el biftec, **15.2**

to **begin** empezar (ie), comenzar (ie), **7.1**

beginner el/la principiante, **9.1**

below bajo, **9.1**

    below zero bajo cero, **9.1**

belt el cinturón, **13.1**

berth la litera, **14.2**

bicycle la bicicleta, **6.2**

big grande, **2.1**

bill la cuenta, **12.2**

biology la biología, **2.2**

birthday el cumpleaños, **6.2**

black negro(a), **13.2**

blade la cuchilla, la hoja, **9.2**

to **block** bloquear, **7.1**

blond(e) rubio(a), **1.1**

blouse la blusa, **13.1**

blue azul, **13.2**

blue jeans el blue jean, **13.1**

to **board** abordar, subir a, **8.1**

board el tablero, **8.1**

    arrival and departure board el tablero de llegadas y salidas, **8.1**

boarding house la pensión, **16.2**

boarding pass la tarjeta de embarque, el pase de abordar, **8.1**

boasting fanfarrón (fanfarrona), **9.1**

boat el barco

    small boat el barquito, **11.1**

book el libro, **BV**

bookbag la mochila, **BV**

boot la bota, **9.1**

to **bore** aburrir, **13**

boring aburrido(a), **1.1**

to **bother** molestar, **13**

boy el muchacho, **BV**

bread el pan, **15.2**

breakfast el desayuno, **5.2**

to **bring** traer, **8**

brother el hermano, **2.1**

to **brush** cepillarse, **16.1**

brush el cepillo, **16.2**

building el edificio, **5.1**

bus el autobús, el bus, **3.1**

button el botón, **13.2**

to **buy** comprar, **5.2**

C

calculator la calculadora, **BV**

calorie la caloría, **10.2**

to **camp** acampar, **16.2**

camp el campamento, **16.2**

camping el camping, **16.2**

to go camping ir de camping, **16.2**

canteen la cantimplora, **16.2**

cap el gorro, **9.1**

captain el/la comandante, **8.2**

car el coche, el carro, **3.1**; (train) el vagón, **14.1**; el coche, **14.2**

carbohydrate el carbohidrato, **10.2**

card la tarjeta, **13.1**

  credit card la tarjeta de crédito, **13.1**

to **carry** llevar, **3.2**

cashbox la caja, **13.1**

cat el/la gato(a), **6.1**

to **catch** atrapar, **7.2**

catcher el/la cátcher, **7.2**

centigrade el centígrado, **9.1**

chair la silla, **BV**

  folding chair la silla plegable, **11.1**

chair lift el telesilla, **9.1**

chalk la tiza, **BV**

chalkboard la pizarra, **BV**; el pizarrón, **3.2**

cheap barato(a), **13.1**

to **check** (luggage) facturar, **8.1**

cheese el queso, **15.2**

chemistry la química, **2.2**

chest el pecho, **10.2**

chicken el pollo, **15.2**

children los hijos, **6.1**

chills los escalofríos, **10.1**

city la ciudad, **5.1**

civic education la educación cívica, **2.2**

to **claim** reclamar, **8.2**

class la clase, **2.1**

classic clásico(a), **4**

classroom la sala de clase, el salón de clase, **3.1**

clinic la clínica, **10.2**

clothes la ropa, **8.2**

cloud la nube, **11.1**

cloudy nublado(a), **11.1**

  it's cloudy está nublado, **11.1**

club el palo, **11.2**

coffee el café, **5.2**

cold (medical) el catarro, la gripe, **10.1**

cold (weather) el frío, **9.1**

  It's cold. Hace frío., **9.1**

to **collect** recoger, **8.2**

Colombian colombiano(a), **1**

color el color, **13.2**

cream, wine, coffee, olive, maroon, turquoise colored de color crema, vino, café, oliva, marrón, turquesa, **13.2**

comb el peine, **16.2**

to **comb one's hair** peinarse, **16.1**

to **come on the stage** entrar en escena, **12.2**

compartment el compartimiento, **14.2**

computer la computadora, **BV**

concert el concierto, **12.2**

conductor el/la director(a), **12.2**; (train) el/la revisor(a), **14.2**

cook el/la cocinero(a), **15.1**

copilot el/la copiloto, **8.2**

corridor el pasillo, **14.2**

to **cost** costar, **13.1**

cough la tos, **10.1**

to **cough** toser, **10.1**

counter el mostrador, **8.1**

country el campo, **5.1**

course el curso, **2.1**

court (sports) la cancha, **7.2**

  tennis court la cancha de tenis, **11.2**

cousin el/la primo(a), **6.1**

covered cubierto(a), **9.2**

crew la tripulación, **8.2**

cup la taza, **15.1**

curtain el telón, **12.2**

customer el/la cliente, **5.2**

customs la aduana, **8.2**

D

dad el papá, **5.2**

to **dance** bailar, **4.2**

dark moreno(a), **1.1**

date la fecha, **BV**

daughter la hija, **6.1**

day el día

  the day before yesterday anteayer, **11.2**

December diciembre (m.), **BV**

degree el grado, **9.1**

delay el retraso, la demora, **14.2**

delicious delicioso(a), **15.2**

to **delight** encantar, **13**

deodorant el desodorante, **16.2**

departure la salida, **8.1**

  arrival and departure board el tablero de llegadas y salidas, **8.1**

departure gate la puerta de salida, **8.1**

dessert el postre, **5.2**

destination el destino, **8.1**

diagnosis la diagnosis, **10.2**

to **die** morir (ue, u), **15**

diet la dieta, **10.2**

difficult difícil, **2.1**

dining car el coche-comedor, **14.2**

dining room el comedor, **5.1**

dinner la cena, **5.2**

to **disembark** desembarcar, **8**

to **do again** volver a, **7.1**

doctor el/la médico(a), **10.2**

doctor's office la consulta del médico, el consultorio del médico, **10.2**

dog el perro, **6.1**

domestic economy la economía doméstica, **2.2**

dose la dosis, **10.2**

dot punto, **3.1**

  on the dot en punto, **3.1**

dress el vestido, **13.1**

to **dribble** driblar con, **7.2**

to **drink** tomar, **4.1**; beber, **5.2**

driver (golf) el bastón, **11.2**

drug la droga, **10.2**

during durante, **4.2**

E

easy fácil, **2.1**

to **eat breakfast** desayunarse, **16.1**

to **eat** comer, **5.2**

egg el huevo, **15.2**

eight ocho, **BV**

eighth octavo, **5.1**

eighty ochenta, **BV**

elevator el ascensor, **5.1**

English el inglés, **2.2**

to **enjoy oneself** divertirse (ie, i), **16.2**

enough bastante, **1.1**

to **enter** entrar, **3.1**

entrance la entrada, **6.2**

eraser la goma, **BV**

evening la noche

  good evening buenas noches, **BV**

everyone todos, **4.2**

examination el examen, **3.2**

to **examine** examinar, **10.2**

exercise el ejercicio, **10.2**

aerobic exercise el ejercicio aeróbico, **10.2**

physical exercise el ejercicio físico, **10.2**

exhibition la exposición, **12.2**

expensive caro(a), **13.1**

expert experto(a), **9.1**

F

face la cara, **16.1**

to fall asleep dormirse (ue, u), **16.1**

family la familia, **5.1**

fantastic fantástico(a), **1.2**

fast rápido, **9.1**

father el padre, **6.1**

February febrero (m.), **BV**

fever la fiebre, **10.1**

fiber la fibra, **10.2**

field el campo, **7.1**

football field el campo de fútbol, **7.1**

fifth quinto(a), **5.1**

fifty cincuenta, **BV**

film la película, el film(e), **12.1**

fine bien, **BV**

first primer, primero(a), **BV**

fish el pescado, **15.2**

to fit sentar bien a, **13.1**

It fits me. Me sienta bien. **13.1**

five cinco, **BV**

flight el vuelo, **8.1**

flight attendant el/la asistente(a) de vuelo, **8.2**

flight number el número del vuelo, **8.1**

floor el piso, **5.1**

flower la flor, **6.2**

folding plegable, **11.1**

folding chair la silla plegable, **11.1**

to follow seguir (i, i), **15**

foot el pie, **3.1**

on foot a pie, **3.1**

football el fútbol, **7.1**

football field el campo de fútbol, **7.1**

for de, **1.1**

forest el bosque, **16.2**

fork el tenedor, **15.1**

forty cuarenta, **BV**

four cuatro, **BV**

fourth cuarto(a), **5.1**

free libre, **14.2**

French francés (francesa), **2.2**

Friday el viernes, **BV**

friend el/la amigo(a), **1.1**

from de, **1.1**

fruit la fruta, **15.2**

to fry freír (i, i), **15.1**

fun divertido(a), **1.1**

G

game el partido, **7.1**; el juego, **11.2**

tennis game el juego de tenis, **11.2**

garage el garaje, **6.2**

garden el jardín, **6.2**

gate la puerta, **8.1**

departure gate la puerta de salida, **8.1**

geography la geografía, **2.2**

geometry la geometría, **2.2**

to get dressed vestirse (i, i), **16.1**

to get off the train bajar(se) del tren, **14.2**

to get on subir a, **8.1**

to get on the train subir al tren, **14.2**

to get sacar, **3.2**

to get up levantarse, **16.1**

gift el regalo, **6.2**

girl la muchacha, **BV**

to give dar, **4.2**

glass (drinking) el vaso, **5.2**

glasses (eye) las gafas, **9.1**

glove el guante, **7.2**

to go back volver (ue), **7.1**

to go down bajar, **9.1**

to go for a swim bañarse, **16.2**

to go ir, **4.1**

they go van, **4.1**

to go camping ir de camping, **16.2**

to go to... ir a..., **6**

to go to bed acostarse (ue), **16.1**

to go up subir, **5.1**

to go with hacer juego con, **13.2**

goal el gol, la portería, **7.1**

goalkeeper el/la portero(a), **7.1**

golf el golf, **11.2**

golf course el campo de golf, **11.2**

golf game el juego de golf, **11.2**

golf bag la bolsa de golf, **11.2**

good bueno(a), **1.2**

good evening, good night buenas noches, **BV**

good afternoon buenas tardes, **BV**

good morning buenos días, **BV**

good-bye adiós, chao, **BV**

grade la nota, **3.2**

grading la calificación, **3.2**

grandchild el/la nieto(a), **6.1**

grandfather el abuelo, **6.1**

grandmother la abuela, **6.1**

grandparents los abuelos, **6.1**

green (golf) el green, **11.2**

green verde, **13.2**

grey gris, **13.2**

ground el suelo, **7**

ground floor la planta baja, **5.1**

guitar la guitarra, **4.2**

H

hair el pelo, **16.1**

ham el jamón, **15.2**

hammock la hamaca, **11.1**

hand la mano, **7.1**

handle el mango, **11.2**

happy contento(a), **10.1**

hat el sombrero, **13.1**

to have tener, **6.1**

to have to tener que, **6**

he él, **1.1**

head la cabeza, **7.1**

headache el dolor de cabeza, **10.1**

heat el calor, **11.1**

heel el tacón, **13.2**

hello hola, **BV**

hike la caminata, **16.2**

to take a hike dar una caminata, **16.2**

hill la colina, **16.2**

history la historia, **2.2**

to hit golpear, **11.2**

to hit (sports) batear, **7.2**

hit (sports) el hit, **7.2**

hole el hoyo, **11.2**

home casa, **4.2**

at home en casa, **4.2**

home run el jonrón, **7.2**

honest honesto(a), **1.2**

hoop el aro, **7.2**

hospital el hospital, **10.2**

hot: it's hot hace calor, **11.1**

house la casa, **4.1**
How much? ¿Cuánto(a)?, **BV**
   How much does it cost?
     ¿Cuánto cuesta?, **13.1**
   How much is it? ¿Cuánto es?,
     BV
how? ¿qué?, **BV**; ¿cómo?, **1.1**
   how are you? ¿qué tal?, **BV**
hunger el hambre, **15.1**
   to be hungry tener hambre,
     15.1
to **hurt** doler, **10.2**
   it hurts, aches me duele, **10**
husband el marido, el esposo, **6.1**

I

I yo, **1.2**
ice el hielo, **9.2**
ice cream el helado, **5.2**
ice-skating el patinaje sobre
   hielo, **9.2**
immediately enseguida, **16**
in en, **1.1**
individual el individual, **7**
influenza la gripe, **10.1**
to **inspect** revisar, **8**; inspeccionar,
     8.2
inspection el control, **8.1**
   passport inspection el control
     de pasaportes, **8.1**
   security inspection el control
     de seguridad, **8.1**
instruction la disciplina, **2.2**
instructions las instrucciones,
   5.2
intelligent inteligente, **2.1**
to **interest** interesar, **13.1**
interesting interesante, **2.1**
invitation la invitación, **5.2**
to **invite** invitar, **4.2**
is es, **1.1**
It looks good on me. Me queda
   bien. **13.2**
Italian italiano(a), **2.2**

J

jacket la chaqueta, el saco, **13.1**
January enero (m.), **BV**
jazz de jazz, **4**
July julio (m.), **BV**
June junio (m.), **BV**

K

kind amable, **2.1**
kitchen la cocina, **4.1**
knapsack la mochila, **BV**
knife el cuchillo, **15.1**
to **know (a person)** conocer, **9.1**
to **know how** saber, **9.1**

L

to **land** aterrizar, **8.2**
language la lengua, **2.2**
lantern la linterna, **16.2**
late tarde, **8.1**; con retraso, con
   una demora, **14.2**
Latin el latín, **2.2**
to **learn** aprender, **5.2**
to **leave (something behind)** dejar,
     12.2
to **leave** salir, **8.1**
left la izquierda, **5.1**
   to the left a la izquierda, **5.1**
lemonade la limonada, **BV**
lesson la lección, **3.2**
letter la carta, **5.2**
lettuce la lechuga, **15.2**
library la biblioteca, **4.1**
to **like** gustar, **13.1**
line (of people) la cola, **12.1**
to **listen** escuchar, **4.1**
little poco(a), **5.2**
to **live** vivir, **5.1**
living room la sala, **4.1**
long largo(a), **13.2**
to **look at** mirar, **3.2**
   to look at oneself mirarse,
     16.1
to **lose** perder (ie), **7.1**
luggage el equipaje, **14.1**
lunch el almuerzo, **5.2**

M

ma'am la señora, **BV**
magazine la revista, **5.2**
to **make** hacer, **8.1**
   to make the trip hacer el viaje,
     8.1
manner la manera, **1.1**
many muchos(as), **5**
March marzo (m.), **BV**
material la materia, **2.2**

mathematics las matemáticas, **2.2**
May mayo (m.), **BV**
meal la comida, **5.2**
means: by no means de ninguna
   manera, **1.1**
meat la carne, **5.2**
medical kit el botiquín, **16.2**
medication el medicamento, **10.2**
medicine la medicina, **10**
medium a término medio, **15.2**
menu el menú, **12.2**
Mexican mexicano(a), **1.1**
midday el mediodía, **2**
midnight la medianoche, **2**
milk la leche, **5.2**
mirror el espejo, **16.1**
Miss la señorita, **BV**
to **miss the bus** perder el autobús,
     12.1
mom la mamá, **5.2**
moment momento, **8.1**
   at this moment en este
     momento, **8.1**
Monday el lunes, **BV**
mood humor, **10**
   in a good mood de buen
     humor, **10**
   in a bad mood de mal humor,
     10
morning la mañana
   good morning buenos días, **BV**
   this morning esta mañana,
     11.2
mother la madre, **6.1**
motorbike el ciclomotor, **6.2**
mountain la montaña, **9.1**
mouth la boca, **10.2**
movie la película, **5.2**
   to show a movie dar
     (presentar) una película, **12**
movie theater el cine, **12.1**
Mr. el señor, **BV**
Mrs. la señora, **BV**
mural el mural, **12.2**
museum el museo, **12.2**
music la música, **2.2**
musical musical, **12.2**
musician el/la músico, **12.2**

N

nap la siesta, **11.1**
   to take a nap echar (tomar)
     una siesta, **11.1**

napkin la servilleta, **15.1**
narrow estrecho(a), **13.2**
nationality la nacionalidad, **1**
necktie la corbata, **13.1**
neither: me neither ni yo tampoco, **13**
nephew el sobrino, **6.1**
nervous nervioso(a), **10.1**
net la red, **7.2**
never nunca, **13.1**
new nuevo(a), **6.2**
news las noticias, **5.2**
newspaper el periódico, **5.2**
newstand el quiosco, **14.1**
next próximo(a), **14.2**
nice to meet you mucho gusto, **BV**
niece la sobrina, **6.1**
niece(s) and nephew(s) los sobrinos, **6.1**
night la noche
    good night buenas noches, **BV**
    last night anoche, **11.2**
nine nueve, **BV**
ninety noventa, **BV**
ninth noveno, **5.1**
no one, nobody nadie, **13**
noncarbonated soft drink el refresco, **4.1**
none ninguno(a), **1.1**
nonsmoking section la sección de no fumar, **8.1**
noon el mediodía, **2**
not any ninguno(a), **1.1**
    by no means de ninguna manera, **1.1**
notebook el cuaderno, **BV**; la libreta, **3.2**
notes los apuntes, **3.2**
nothing nada, **13.1**
novel la novela, **5.2**
November noviembre (m.), **BV**
number el número, **8.1**
    flight number el número del vuelo, **8.1**
    seat number el número del asiento, **8.1**
nurse el/la enfermero(a), **10.2**

O

occupied ocupado(a), **14.2**
October octubre (m.), **BV**
of de, **1.1**

oil el aceite, **15.2**
old viejo(a), **6.1**
one hundred cien/to, **BV**
one uno, **BV**
to open abrir, **8.2**
opposite contrario(a), **7**
orange anaranjado(a), **13.2**
orchestra la orquesta, **12.2**
orchestra seat la butaca, **12.1**
other otro(a), **2.2**
out (sports) el out, **7.2**
outdoors al aire libre, **9.2**
outfielder (sports) el/la jardinero(a), **7.2**
outskirts las afueras, **5.1**
over por encima, **7.2**
overcoat el abrigo, **13.1**

P

to pack the suitcase hacer la maleta, **8**
painting el cuadro, **12.2**
pants los pantalones, **13.1**
paper el papel, **BV**
    sheet of paper la hoja de papel, **BV**
parasol el parasol, **11.1**
parents los padres, **6.1**
park el parque, **6.2**
party la fiesta, **4.2**
to pass pasar, **7.2**
passenger el/la pasajero(a), **8.1**
passport el pasaporte, **8.1**
    passport inspection el control de pasaportes, **8.1**
patient el/la enfermo(a), **10.1**
to pay pagar, **13.1**
pencil el lápiz, **5.2**
pepper la pimienta, **15.1**
performance la representación, el espectáculo, **12.2**
pharmacist el/la farmacéutico(a), **10.2**
pharmacy la farmacia, **10.2**
physical físico(a), **10.2**
    physical education la educación física, **2.2**
physics la física, **2.2**
piano el piano, **4.2**
to pick up recoger, **8.2**
picture el cuadro, **12.2**
pill la pastilla, la píldora, el comprimido, **10.2**

pilot el/la piloto, **8.2**
to pinch apretar, **13.2**
    it pinches me me aprieta, **13.2**
pitcher el/la pícher, el/la lanzador(a), **7.2**
plaid a cuadros, **13.2**
plane el avión, **8**
    by plane en avión, **8**
plant la planta, **6.2**
plate el plato, **15.1**
to play (an instrument) tocar, **4.2**
to play jugar (ue), **7.1**
player el/la jugador(a), **7.1**
please por favor, **BV**
point (score) el tanto, **7.1**
pole el bastón, **9.1**
popular popular, **2.1**
portable stove el hornillo, **16.2**
porter el/la maletero(a), **8.1**; el/la mozo(a), **14.1**
postcard la tarjeta postal, **5.2**
potato la papa, **5.2**
precious precioso(a), **6.2**
to prefer preferir (ie, i), **7**
to prepare preparar, **4.1**
to prescribe recetar, **10**
prescription la receta, **10.2**
to present presentar, **12**
pretty bonito(a), **6.2**
price el precio, **13.1**
private particular, privado(a), **5.1**
protective protector(a), **11.1**
protein la proteína, **10.2**
public el público, **12.2**
Puerto Rican puertorriqueño(a), **2**
to put poner, **8.1**
to put in meter, **7.1**
to put in a basket encestar, **7.2**
to put on ponerse, **16.1**
to put up a tent armar una tienda, **16.2**

R

railway platform el andén, **14.1**
railway track la vía, **14.1**
to rain llover, **11.1**
    it rains llueve, **11.1**
raincoat la gabardina, **13.1**
raquet la raqueta, **11.2**
rare casi crudo, **15.2**
raw crudo(a), **15.2**
razor la navaja, **16.1**
to read leer, **5.2**

to **receive** sacar, **3.2**; recibir, **6**
  receiver el/la receptor(a), **7.2**
  record el disco, **4.1**
  red rojo(a), **13.2**
  referee el/la árbitro(a), **7.1**
to **remain** quedarse, **13.2**
to **rent** alquilar, **11.1**
to **repeat** repetir (i, i), **15**
  reserved reservado(a), **14.2**
  restaurant el restaurante, **12.2**
to **return** devolver (ue), **7.2**
  rice el arroz, **15.2**
  right la derecha, **5.1**
    to the right a la derecha, **5.1**
  Right? ¿Verdad?, **1.1**
  river el río, **16.2**
  rock (music) de rock, **4**
  roll (of paper) el rollo, **16.2**
  roller la rueda, **9.2**
  room el cuarto, la habitación, **5.1**
    waiting room la sala de espera, **14.1**
  row la fila, **8**
to **run** correr, **7.2**

S

  sad triste, **10.1**
  sailboard la plancha de vela, **11.1**
  salad la ensalada, **5.2**
  salesperson el/la dependiente, **13.1**
  salt la sal, **15.1**
  sand la arena, **11.1**
  sandals las sandalias, **13.1**
  sandwich el sándwich, el bocadillo, **5.2**
  Saturday el sábado, **BV**
  saucer el platillo, **15.1**
to **say** decir, **9**
  scale la báscula, **8.1**
  schedule el horario, **14.1**
  school el colegio, la escuela, **1.1**
    high school la escuela secundaria, **1.1**
  school (pertaining to) escolar, **3.1**
  science la ciencia, **2.2**
  scooter el monopatín, **9**
to **score (sports)** marcar, **7.1**
  scoreboard el tablero indicador, **7.1**
  screen la pantalla, **8.1**
  sculptor el/la escultor(a), **12.2**

  sea el mar, **11.1**
  season la estación, **9.1**
  seat (in theater) la localidad, **12.1**
  seat el asiento, **8.1**
    seat number el número del asiento, **8.1**
  second segundo, **5.1**
  secondary secundario(a), **1.1**
  security la seguridad, **8.1**
    security inspection el control de seguridad, **8.1**
to **see** ver, **5.2**
to **sell** vender, **5.2**
  September septiembre (m.), **BV**
  serious serio(a), **1.2**
to **serve** servir (i, i), **15.1**
  session la sesión, **12.1**
  seven siete, **BV**
  seventh séptimo(a), **5.1**
  seventy setenta, **BV**
  shampoo el champú, **16.2**
to **shave** afeitarse, **16.1**
  shaving cream la crema de afeitar, **16.2**
  she ella, **1.2**
  sheet la hoja, **BV**
    sheet of paper la hoja de papel, **BV**
  shellfish el marisco, **15.2**
to **shine** brillar, **11.1**
  shirt la camisa, **13.1**
  shoes los zapatos, **13.1**
  shop window el escaparate, la vitrina, **13.1**
  shopping de compras, **13.1**
  shopping center el centro comercial, **4.1**
  short (person) bajo(a), **1.1**; **(length)** corto(a), **13.2**
  show el espectáculo, **12.2**
to **show a movie** dar (presentar) una película, **12**
  shower la ducha, **16.2**
    to take a shower tomar una ducha, **16.2**
  shy tímido(a), **1.2**
  sick enfermo(a), **10.1**
  sick person el/la enfermo(a), **10.1**
  simple sencillo(a), **14.1**
  sincere sincero(a), **1.2**
to **sing** cantar, **4.2**
  sir el señor, **BV**
  sister la hermana, **2.1**

to **sit down** sentarse (ie), **16.1**
  sitting (in theater) la sesión, **12.1**
  six seis, **BV**
  sixth sexto(a), **5.1**
  sixty sesenta, **BV**
  size el tamaño, la talla, **13.1**
  skate el patín, **9.2**
to **skate** patinar, **9**
  skater el/la patinador(a), **9.2**
  skating el patinaje, **9.2**
    figure skating el patinaje artístico, **9.2**
    roller skating el patinaje sobre ruedas, **9.2**
  skating rink el patinadero, la pista de patinaje, **9.2**
  ski el esquí, **9.1**
to **ski** esquiar, **9.1**
  ski lift el telesquí, **9.1**
  ski path la cancha de esquí, **9**
  skier el/la esquiador(a), **9.1**
  skiing el esquí, **9.1**
    Alpine skiing el esquí alpino, **9.1**
    distance skiing el esquí de fondo, **9.1**
    downhill skiing el esquí de descenso, **9.1**
    Nordic skiing el esquí nórdico, **9.1**
to **skindive** bucear, **11.1**
  skindiving el buceo, **11.1**
  skirt la falda, **13.1**
  sky el cielo, **11.1**
  slalom el slálom, **9.1**
to **sleep** dormir (ue, u), **7**
  sleeping bag el saco de dormir, **16.2**
  sleeping car el coche-cama, **14.2**
  sleeve la manga, **13.2**
  slope la cuesta, **9.1**
  small pequeño(a), **2.1**; **(amount)** poco(a), **5.2**
  smock el blusón, **13.1**
  snack la merienda, **4.1**
to **sneeze** estornudar, **10.1**
  snow la nieve, **9.1**
to **snow** nevar (ie), **9.1**
    It's snowing. Nieva., **9**
  snowfall la nevada, **9.1**
  soap el jabón, **16.2**
  soap opera la telenovela, **5.2**
  social science las ciencias sociales, **2.2**

sociology la sociología, 2.2
socks los calcetines, 13.1
soda la gaseosa, 5.2
soft drink la gaseosa, 5.2
somebody alguien, 13
something algo, 9.1
sometimes a veces, 5.2
son el hijo, 6.1
sore throat el dolor de garganta, 10.1
soup la sopa, 5.2
South America la América del Sur, 8.1
Spanish español(a), 2.2
to speak hablar, 3.1
spectator el/la espectador(a), 7
spoon la cuchara, 15.1
sport el deporte, 2.2
sports broadcast la emisión deportiva, 5.2
spring la primavera, 7.2
stadium el estadio, 7.1
stage la escena, 12.2
  to come on the stage entrar en escena, 12.2
stairway la escalera, 5.1
station la estación, 12.1
  train station la estación de ferrocarril, 14.1
statue la estatua, 12.2
to stay quedarse, 13.2
to stay in bed guardar cama, 10.1
to steal robar, 7.2
stockings las medias, 13.1
stomach el estómago, 10.1
  stomachache el dolor de estómago, 10.1
stop la parada, 14.2
to stop parar, 7.1
store la tienda, 4.1
  men's clothing store la tienda de ropa para caballeros (señores), 13.1
  women's clothing store la tienda de ropa para damas (señoras), 13.1
street la calle, 5.1
striped a rayas, 13.2
student el/la alumno(a), 1.1
to study estudiar, 3.2
subject la asignatura, 2.2
suburbs los suburbios, 5.1
subway el metro, 12.1
suit el traje, 13.1
suitcase la maleta, 8.1

to pack the suitcase hacer la maleta, 8
sun el sol, 11.1
  it's sunny hay sol, 11.1
  sun protection cream la crema protectora, 11.1
to sunbathe tomar el sol, 11.1
Sunday el domingo, BV
sunglasses los anteojos de (para el) sol, 11.1
suntan cream la crema bronceadora, 11.1
to surprise sorprender, 13
sweater el suéter, el jersey, 13.1
to swim nadar, 11.1
swimming pool la piscina, la alberca, 11.2
symptom el síntoma, 10.2

T

T shirt el T shirt, 13.1
table la mesa, 12.2
tablecloth el mantel, 15.1
tablet la pastilla, 16.2
to take tomar, 3.2
to take a hike dar una caminata, 16.2
to take a nap echar (tomar) una siesta, 11.1
to take a shower tomar una ducha, 16.2
to take off (airplane) despegar, 8.2
tall alto(a), 1.1
tanning bronceador(a), 11.1
tape la cinta, 4.1
tasty rico(a), 15.2
taxi el taxi, 8.1
to teach enseñar, 3.2
teacher el/la profesor(a), 2.1
team el equipo; (adj.) de equipo, 7.1
teaspoon la cucharita, 15.1
telephone el teléfono, 4.1
  on the phone por teléfono, 4.1
television la televisión, 4.1
temperature la temperatura, 9.1
ten diez, BV
tennis el tenis, 11.2
  tennis court la cancha de tenis, 11.2
  tennis game el juego de tenis, 11.2
tennis shoes los tenis, 13.1

tent la tienda de campaña, la carpa, 16.2
tenth décimo(a), 5.1
thank you gracias, BV
that eso, 3.1; aquel, aquella, 9.2
  about a eso de, 3.1
the el, la, 1.1
theater el teatro, 12.2
theatrical teatral, 12.2
there is/are hay, 5.1
third tercer(o)(a), 5.1
thirst la sed, 15.1
  to be thirsty tener sed, 15.1
thirty treinta, BV
thousand one, BV
three tres, BV
throat la garganta, 10.2
  sore throat el dolor de garganta, 10.1
to throw tirar, lanzar, 7.1; echar
Thursday el jueves, BV
ticket el boleto, el billete 8.1
  one-way ticket el billete sencillo, 14.1
  roundtrip ticket el billete de ida y vuelta, 14.1
  ticket office la boletería, 9.1; la taquilla, 12.1
  ticket window la ventanilla, 9.1
tied empatado(a), 7
time tiempo, 7.1
  on time a tiempo, 14.2
  At what time? ¿A qué hora?, 2
timid tímido(a), 1.2
tip la propina, 12.2
tired cansado(a), 10.1
today hoy, 11.2
toilet paper el papel higiénico, 16.2
tonight esta noche, 11.2
too, also también, 1.1
too, too much demasiado, 13.2
tooth el diente, 16.1
toothpaste la pasta dentífrica, 16.2
tortilla la tortilla, 15.2
to touch tocar, 7
tourist el/la turista, 12.2
towel la toalla, 11.1
  beach towel la toalla playera, 11.1
town el pueblo, 5.1
trail la pista, 9.1
train el tren, 14.1

train station la estación del ferrocarril, **14.1**
to **transfer** transbordar, **14.2**
transportation el transporte, **12**
tree el árbol, **6.2**
trigonometry la trigonometría, **2.2**
trip el viaje, **8.1**
  to make the trip hacer el viaje, **8.1**
trumpet la trompeta, **4.2**
truth la verdad, **1.1**
  Isn't it true? ¿No es verdad?, **1.1**
tube el tubo, **16.2**
Tuesday el martes, **BV**
twenty veinte, **BV**
two dos, **BV**

U

umbrella la sombrilla, **11.1**
uncle el tío, **6.1**
underground subterráneo(a), **12**
undershirt la camiseta, **13.1**
to **understand** comprender, **5.2**
unpleasant antipático(a), **1.1**
until hasta, **BV**
  see you later hasta la vista, hasta luego, **BV**
  see you tomorrow hasta mañana, **BV**
  see you soon hasta pronto, **BV**

V

vegetable la legumbre, la verdura, el vegetal, **15.2**
very muy, **1.1**
view la vista, **6.2**
violin el violín, **4.2**

vitamin la vitamina, **10.2**
volleyball vólibol, **7.2**

W

to **wait for** esperar, **14**
to **wait on or help customers** despachar, **10.2**
waiter el mesero, **12.2**
waitress la mesera, **12.2**
to **wake up** despertarse (ie), **16.1**
to **want** querer (ie), **7**
to **wash oneself** lavarse, **16.1**
to **watch** ver, **5.2**
water skiing el esquí acuático, **11.1**
wave la ola, **11.1**
way la manera, **1.1**
we nosotros(as), **2.2**
we are somos, **2.2**
Wednesday el miércoles, **BV**
week la semana, **11.2**
  last week la semana pasada, **11.2**
  this week esta semana, **11.2**
well bien, **BV**
well done bien cocido (hecho), **15.2**
what? ¿cuál?, ¿qué?, **BV**; ¿cómo?, **1.1**
  What is it? ¿Qué es?, **BV**
  What is today's date? ¿Cuál es la fecha de hoy?, **BV**
  What time is it? ¿Qué hora es?, **2**
  What's the weather like? ¿Qué tiempo hace?, **9.1**
wheel la rueda, **9.2**
when? ¿cuándo?, **3.1**
where? ¿dónde?, **1.2**; ¿adónde?, **4**
which? ¿cuál?, **BV**
white blanco(a), **13.2**

who? ¿quién?, **BV**
  who is it? ¿quién es?, **BV**
wide ancho(a), **13.2**
wife la esposa, **6.1**
to **win** ganar, **7.1**
wind el viento, **11.1**
  it's windy hace viento, **11.1**
winter el invierno, **9.1**
woman la mujer, **6.1**
work la obra, **12.2**
to **work** trabajar, **4.1**
to **write** escribir, **5.2**
writing pad el bloc, **3.2**

Y

year el año, **11.2**
  last year el año pasado, **11.2**
  this year este año, **11.2**
yellow amarillo(a), **13.2**
yesterday ayer, **11.1**
  the day before yesterday anteayer, **11.2**
  yesterday afternoon ayer por la tarde, **11.2**
  yesterday morning ayer por la mañana, **11.2**
you Uds., ustedes (pl. form.), **2.2**
you are son (pl. form.), **2.1**; están (pl. form.), **4.1**
you go van (pl. form.), **4.1**
you're welcome de nada, no hay de qué, **BV**
young joven, **6.1**
youth hostel el albergue juvenil, **16.2**

Z

zipper la cremallera, el zíper, **13.2**

ÍNDICE
GRAMATICAL

a   when asking or telling time, **53 (2)**; contraction with the definite article, **102 (4)**; personal *a*, **102 (4)**; after *ir* to express future, **163 (6)**

adjectives   singular forms: gender and agreement with noun, **24 (1)**; plural forms: gender and agreement with noun, **48 (2)**; possessive (see possessive adjectives); of nationality, **192 (7)**; demonstrative adjectives, **256 (9)**

affirmative words   **372 (13)**

al   contraction of *a + el*, **102 (4)**

-ar **verbs**   present tense: singular forms, **73 (3)**; plural forms, **98 (4)**; preterit tense, **304 (11)**; spelling-changing verbs, **304 (11)**

andar   preterit tense, **396 (14)**

articles   see definite and indefinite articles

conocer   present tense, **252 (9)**

dar   present tense, **100 (4)**; preterit tense, **329 (12)**

dates   days of the week, **11 (BV)**; months of the year, **11 (BV)**

de   contraction with the definite article, **102 (4)**; to express possession, **102 (4)**

decir   present tense, **255 (9)**

definite articles   singular forms: gender and agreement with noun, **22 (1)**; plural forms: gender and agreement with noun, **48 (2)**

del   contraction of *de + el*, **102 (4)**

direct object pronouns   **307 (11)**

encantar   to express likes, **369 (13)**

-er **verbs**   present tense, **136 (5)**; preterit tense, **329 (12)**

estar   present tense, **100 (4)**; to describe conditions, **278 (10)**; to tell location, **280 (10)**; preterit tense, **396 (14)**

gender   singular forms: of definite articles, **22 (1)**; of indefinite articles, **23 (1)**; of adjectives, **24 (1)**; plural forms: of definite articles, **48 (2)**; of adjectives, **48 (2)**; singular and plural of nouns, **140 (5)**

gustar   to express likes and dislikes, **369 (13)**

hacer   present tense, **214 (8)**; preterit tense, **396 (14)**

hay   **141 (5)**

indefinite articles   singular forms, **23 (1)**

indirect object pronouns   **332 (12)**; with verbs to express emotions, **368 (13)**; with *gustar*, **369 (13)**

ir   present tense, **100 (4)**; *ir a* + infinitive, **163 (6)**; preterit tense, **309 (11)**

-ir **verbs**   present tense, **136 (5)**; preterit tense, **329 (12)**

irregular verbs   present tense: *conocer*, **252 (9)**; *dar*, **100 (4)**; *decir*, **255 (9)**; *estar*, **100 (4)**; *hacer*, **214 (8)**; *ir*, **100 (4)**; *poner*, **214 (8)**; *saber*, **252 (9)**; *salir*, **214 (8)**; *ser*, **25 (1)**, **50 (2)**; *tener*, **161 (6)**; *traer*, **214 (8)**; *venir*, **214 (8)**; *ver*, **137 (5)**; preterit tense: *hacer*, **394 (14)**; *querer*, **394 (14)**; *venir*, **394 (14)**; *estar*, **396 (14)**; *andar*, **396 (14)**; *tener*, **396 (14)**; *poder*, **396 (14)**; *poner*, **396 (14)**; *saber*, **396 (14)**

negative words   **372 (13)**

numbers   from 0–2000, **8 (BV)**

nouns   plural, **48 (2)**; agreement with definite article, **22 (1)**, **48 (2)**; agreement with indefinite article, **23 (1)**; gender, **140 (5)**; agreement with adjectives, **24 (1)**, **48 (2)**

plural   of nouns, **48 (2)**; of definite articles, **48 (2)**; of adjectives, **48 (2)**

poder   preterit tense, **396 (14)**

poner   present tense, **214 (8)**; preterit tense, **396 (14)**

possession   expressed with *de*, **102 (4)**; see also possessive adjectives

possessive adjectives   agreement with noun, **165 (6)**

prepositions   *a*, **102 (4)**; *de*, **102 (4)**

present progressive   summary, **218 (8)**

present tense   singular forms, **73 (3)**; plural forms, **98 (4)**; see also regular, irregular, and stem-changing verbs

preterit tense   see regular, irregular, and stem-changing verbs

pronouns   *me, te, nos*, **283 (10)**; direct object pronouns, **307 (11)**; indirect object pronouns, **332 (12)**

querer   preterit tense, **394 (14)**

reflexive verbs   **442 (16)**; stem-changing, **446 (16)**

regular verbs   present tense: *-ar* verbs, **73 (3)**, **98 (4)**; *-er* and *-ir* verbs, **136 (5)**; preterit tense: *-ar* verbs, **304 (11)**; *-er* and *-ir* verbs, **329 (12)**

saber   present tense, **252 (9)**; preterit tense, **396 (14)**

salir   present tense, **214 (8)**

ser   present tense: singular forms, **25 (1)**; plural forms, **50 (2)**; to describe characteristics, **278 (10)**; to tell origin, **280 (10)**; preterit tense, **309 (11)**

stem-changing verbs   present tense: (e>ie) *empezar, querer, preferir*, **187 (7)**; *sentarse*, **446 (16)**; (o>ue) *volver, poder, dormir, jugar*, **189 (7)**; *acostarse*, **446 (16)**; (e>i) *pedir, servir, freír, seguir*, **418 (15)**; *despertarse*, **446 (16)**; (o>ue, u) *dormirse*, **446 (16)**; (e>ie, i) *divertirse*, **446 (16)**; (e>i, i) *vestirse*, **446 (16)**; preterit tense: (e>i) *pedir, repetir, seguir, preferir*, **420 (15)**; (o>u) *dormir*, **420 (15)**; (o>ue, u) *dormirse*, **446 (16)**; (e>ie, i) *divertirse*, **446 (16)**; (e>i, i) *vestirse*, **446 (16)**

tener   present tense, **161 (6)**; *tener + años*, **161 (6)**; *tener que* + infinitive, **163 (6)**; preterit tense, **396 (14)**

time   asking or telling time, **52 (2)**

traer   present tense, **214 (8)**

tú   *tú* vs. *usted*, **76 (3)**

usted   *usted* vs. *tú*, **76 (3)**

venir (e>ie)   present tense, **214 (8)**

ver   present tense, **137 (5)**; preterit tense, **329 (12)**

Photography

Front Cover: Dallas & John Heaton/Westlight
A.G.E. Fotostock/Westlight: 315B; Anup & Manojshah/Animals Animals: 120; AP/Wide World Photos: 83T, 125T, 199, 285, 289B, 306, 341B, 379, 383, 465; Apesteguy, Francis/Gamma Liaison: 97L; Art Resource, NY: 455T (Prado Museum, Madrid, Spain); Barrey, Bruno/Magnum Photos: 223; Bertsch, W./Bruce Coleman: 56; The Bettmann Archive: 83MR, 83B, 125B, 236, 237T, 289T, 468; Bilow, Nathan/Allsport USA: 345; Blank, James/Bruce Coleman: 315T; Budnik, Dan/Woodfin Camp: 461; California State Railroad Museum: 403B; Camp, Woodfin: 311; Carle, Eric/Bruce Coleman: 16R, 299TL; Cohen, Stuart/Comstock: xiiT, 162, 167B, 312R, 316, 388, 405, 424M; Comstock: 167T, 281, 380; Corvetto, Mario/Comstock: 454L; Dekovic, Gene: v, 2TL, 9B, 28T, 28BR, 97T, 119, 174–175, 203, 204–205, 217T, 220, 309, 422T; Delgado, Luis: viT, viB, xiiiT, xiv–1, 2BR, 4L, 5B, 8, 27R, 28BL, 38–39, 42, 59B, 59M, 75, 85T, 88–89, 111T, 156, 186, 194, 219, 258T, 380, 389, 450, 428–429, 448T, 455L; Downie, Dana/Photo 20-20: 354B, 355T; Ebeling, John L./Bruce Coleman: 237BR; Edmanson, J.G./International Stock: 147; Erize, Francisco/Bruce Coleman: 356B; Erwitt, Elliott/Magnum Photos: 83L; Faris, Randy/Westlight: 60, 341TL, 342L; Fischer, Curt: viM, viiB, xM, xB, xi, xiiM, xiiB, xiiiB, 3, 6, 9T, 12–13, 23L, 26, 37B, 46, 53, 60–61, 62, 64–65, 74B, 78B, 84–85, 86, 92B, 101, 113, 117, 118, 126–127, 142, 146L, 152–153, 163, 168T, 201T, 213, 215B, 217B, 258B, 268–269, 283, 292, 293, 298, 302, 320–321, 338, 352–353, 353, 354T, 358–359, 362, 363, 374T, 374B, 380–381, 384–385, 398, 401, 408–409, 413, 416, 422B, 424L, 426, 428B, 432–433, 436, 440, 441, 448B, 454–455, 454R, 458, 467, 470–471; Fogden, M.P.L./Bruce Coleman: 122B; Foster, Lee/Bruce Coleman: 303; FPG International: 171; Frazier, David R.: viiT, 106, 108, 130, 144L, 212, 312L, 318, 343T; Frerck, Robert/Odyssey Productions: ixB, 18, 30, 135, 246, 264T, 373; Frerck, Robert/Woodfin Camp: 85B, 177, 232, 264T, 453B; Giraudon/Art Resource, NY: 30 (Museo Bolivariano, Caracas, Venezuela), 124B (Prado Museum, Madrid, Spain), 240B (Prado Museum, Madrid, Spain), 337 (National Museum, Madrid, Spain); Gonzales, J.L./courtesy, the Spanish Tourist Office: 260; Gottschalk, Manfred/Westlight: 121BL, 239TR; Gscheidle, Gerhard: 150B; Gunnar, Keith/Bruce Coleman: 247, 266; Heaton, Dallas & John/Westlight: 47, 123B, 123M, 308, 316–317, 331, 340L, 355M, 406; In Focus Int'l/Image Bank: 310B; Inman, Nicholas: 43B, 48, 59T; Isy-Schwart, Cyril/Image Bank: 380T; King, Barry/Gamma Liaison: 341M; Koner, Marvin/Comstock: 380L; Langoné, Peter/International Stock: 263M; Larrain, Sergio/Magnum Photos: 239M; Leah, David/Allsport USA: 196, 200–201, 201B, 234; Lepp, George D./Comstock: 239TL; Lozada, Claudia: 291T; Luongo, Laura/Gamma Liaison: 97R; Madison, David/Bruce Coleman: 250; Mahieu, Ted/Photo 20-20: 357T; Martson, Sven/Comstock: 32, 68, 185; McBrady, Stephen: 92, 105, 111B, 404–405; McCain, Edward: 92T, 105, 111B; McDonnell, Kevin/Photo 20-20: 121T; Meiselas, Susan/Magnum Photos: 17L; Menzel, Peter: 22, 71, 110–111, 140, 148–149, 148T, 148M, 148B, 150T, 175, 224, 227, 290–291, 343B, 352, 356M, 378, 428T, 429, 462, 466; Messerschmidt, Joachim/Westlight: 450R; Muller, Kal/Woodfin Camp: 144R; Nichols, Michael/Magnum Photos: 239M; O'Rear, Chuck/Westlight: 122T; Philip, Charles/Westlight: 238, 264B; Pieuchot, Jean-Pierre/Image Bank: 112; Rogers, Martin: viiiB, 231; Rose, George/Gamma Liaison: 341TR; Ross, Bill/Westlight: 20L; Ryan, David/Photo 20-20: 121M, 424R; Sallaz, William R./Duomo: 255; Sanuvo, Carlos/Bruce Coleman: 81; Sauer, Jennifer: viiiT, ixT, xT, 2TR, 2BL, 2BM, 4R, 5T, 10, 16L, 17R, 20R, 21, 23R, 24, 33B, 34, 35B, 35T, 37T, 43T, 51, 54, 72, 74T, 77, 78T, 80, 87, 100, 104, 116, 134, 137, 146R, 148–149, 151, 159, 160, 161, 164, 166, 168B, 172, 174, 178–179, 187, 188, 202, 218, 237BL, 237BR, 272, 276, 284, 291B, 299TR, 299BL, 299BR, 310T, 334, 339, 349, 351, 369, 376, 394, 420, 421, 431, 437, 445, 446, 447, 463; Scala/Art Resource, NY: 124T (Prado Museum, Madrid Spain), 240T (Prado Museum, Madrid Spain), 241 (Prado Museum, Madrid Spain), 400T, 404 (House of El Greco, Toledo, Spain); Sheldon, Janice/Photo 20-20: 225M, 225T, 262B, 264–265; courtesy, the Spanish Tourist Office: 455B; Spurr, Joy/Bruce Coleman: 82; Steele, Allen/Allsport USA: 294–295; Stephenson, Mark/Westlight: 400B; Symes, Budd/Allsport USA: 304; Syms, Kevin/Frazier Photolibrary: 253; Thomas Jefferson University, University Archives and Special Collections, Scott Memorial Library, Philadelphia, Pennsylvania: 289M; Vandystadt/Allsport USA: 242–243, 257; Vautier, Mireille/Woodfin Camp: 35M, 378; Viva, Osvaldo/Westlight: 263T; Ward, Bob/International Stock: 263B; Watts, Ron/Westlight: 27L; Welsh, Kevin/Surfer Magazine: 314; Westlight: 265, 355B; Wheeler, Nik/Westlight: 342–343, 453T; Zuckerman, Jim/Westlight: 34–35, 121BR, 225B, 226–227, 400M.

Special thanks to the following for their assistance in photography arrangements: The Prado Museum, Madrid, Spain; RENFE.

Illustration

Accardo, Anthony: 44–45; Broad, David: 29, 55, 79, 105, 143, 169, 195, 221, 259, 285, 311, 335, 375, 399, 423, 449; Clarke, Bradley: 300–301; Dyan, Don: 410–411; Gregory, Lane: 32, 49, 132–133, 206–207, 248–249, 360–361, 366; Henderson, Meryl: 66–67, 244–245; Keiffer, Christa: 414–415, 439–440; Kowalski, Mike: 5, 27, 157–158, 332, 390–391; Magnuson, Diana: 69–70, 296–297, 371; Mc Creary, Jane: 10, 139, 419; Miller, Lyle: 40–41, 128–129, 180–181, 274–275; Miyamoto, Masami: 192, 464; Muir, Mike: 469; Nicolson, Norman: 325–326, 364–365, 392; Raymond, Larry: 12, 444; Sanfilippo, Margaret: 76, 90–91, 94–95, 99, 270–271; Siculan, Dan: 333, 386–387; Spellman, Susan: 18–19, 50, 183–184, 210–211, 279, 434–435, 442; Thewlis, Diana: 14–15, 25, 154–155, 322–323, 330; Torrisi, Gary: 7, 62, 103; Undercuffler, Gary: 216.

Realia

Realia courtesy of the following: Aldaba Ediciones, S.A.: 9; ABC: 458; Ammex Asociados, S.A.: 54; Banamex: 412; Baqueira/Beret: 251; Caminos del Aire: 282; Camper: 373; Casa Vogue-España: 159; Diario 16: 284; Distrimatas Telstar SL: 441; Domino's Pizza: 427; don balón: 182, 305; Editorial Eres: 381; Editorial Vicens-Vives®: 254; ℗ 1987 Electrosonora Manufacturas Saavedra, S.A.: 334; El Sol: 346; El Tallarín Gordo: 329; Elle: 141; Emaus Films, S.A.: 339; Empresa Nacional de Ferrocarriles del Perú: 402; Fondo Mixto de Promoción Turística de Acapulco: 314; Gentilito: 280; Hombre: Deportes, Foto: Mario Algaze: 190; Iberia Airlines: 219; La Fina: 413; LAN: 226; Marie Claire: 93; Más: 109, 458; Mc Mahon, Jim/Maker, Mike: 267; Mexicana: 208, 228; Mi Casa: 233; Ministerio de Salud, Chile: 288; Museo Arqueológico Nacional de México: 327; Museo Diocesano: 327; Museo Frida Kahlo: 328; Navacerrada: 260; Nestlé: 273; Opticas Moneda Rotter: 257; Panam: 370; Pescador, Martín: 264; Posa Films: 324; Pasatiempos Gallo, S.A.: 191; Procter & Gamble: 443; RENFE: 388, 389, 393, 395, 405, 407; Restaurante Casa Fabas: 417; Restaurante El Arrabal: 425; Restaurante El Tablón: 417; Restaurante Los Remos: 418; Ricamato: 256; © ℗ RMM Records & Video Corp.: 96; Roca: 161; Roche: 283; Salud Total: 273; Saludable: 291; © ℗ 1992 SBK Records, a division of EMI Records Group N.A.: 96; Secretaría General de Turismo-Turespaña: 31; ©1993 Sony Music Entertainment Inc.:96; Starlux: 138; Surf: 307, 313; Tabacín: 278; Teatro María Guerrero Ministerio de Cultura: 348; TeEn: 467; Traveling Santiago: 347; Tú: 55; TV y novelas: 109; Univisión: 368; Valle Nevado: 259; Vanidades: 108, 130, 136, 372; Venca: 367; Viasa: 226; Vogue España: 277; Vogue México: 377; Zuma Sol: 457.

Fabric designs: Guatemalan—contemporary fabric: 56; Mexican—Los Colores Museum, Corrales, New Mexico: 106; Peruvian—private collection: 30; Spanish—Musée National des Tissus, Lyon, France: 82.

Maps

Eureka Cartography, Berkeley, CA.

T = top M = middle B = bottom L = left R = right